IJsblinkers

IJskus

Dit boek is fictioneel. Namen, personages, plaatsen en gebeurtenissen zijn een product van de fantasie van de auteur, of zijn fictioneel gebruikt. Iedere overeenkomst met ware gebeurtenissen, plaatsen of personen (levend of dood) berust op toeval.

Copyright © 2008 bij Uitgeverij De Eekhoorn BV, Oud-Beijerland

CIP-gegevens Koninklijke Bibliotheek, Den Haag

Kan Hemmink, Henriëtte

IJsblinkers: IJskus / Henriëtte Kan Hemmink
Internet: www.eekhoorn.com
Illustraties: Géwout Esselink
Omslagontwerp: Bureau Maes & Zeijlstra, Oosterbeek
Vormgeving binnenwerk: Solid-ontwerp.nl
Eindredactie: YDee, Amstelveen

ISBN 978-90-454-1251-1 / NUR 283

IJsblinkers
IJskus

Henriëtte Kan Hemmink

De Eekhoorn

Sietse Heslinga, de Friese schaatser uit Workum, en zijn ouders Jacob (trainer) en Ellie Heslinga zorgen ervoor dat ik de juiste informatie over het schaatsen krijg. Daarvoor wil ik hen bedanken!

− HENRIËTTE KAN

Hoofdstuk 1

ONTSNAPPEN!

Ze herinnert zich nog goed hoe hij met koude, dreigende ogen naar haar keek. 'Elk geluid dat jij veroorzaakt, betekent gevaar. Probeer geen aandacht te trekken en zorg vooral dat niemand je ziet. Want dan ben je er geweest.' Om duidelijk te maken dat het menens was, maakte hij met een vlakke hand een kapbeweging langs zijn keel.

Met haar hoofd leunde ze roerloos tegen het koude raam van de auto. Ze had onderweg geen oog dichtgedaan. Dit was nu al de derde keer dat ze naar een ander huis werden overgebracht. Elke keer wordt ieder spoor zorgvuldig uitgewist. Miruna is er heilig van overtuigd dat er naar haar gezocht zal worden. Ooit zal iemand argwaan krijgen. Geen mens kan zomaar van de aardbodem verdwijnen.

Miruna loopt naar het raam. De plankenvloer kraakt onder haar gewicht. Beneden zitten de andere meisjes fluisterend met elkaar in het donker.

Als ze vlakbij het raam is, ontdekt ze dat de luiken gesloten zijn. Ze morrelt aan de hendel en slaagt erin het raam geruisloos te openen. Ze steekt haar hand naar buiten en duwt de luiken een eindje open. Een ijzige wind kruipt in haar mouw. Door een spleet van twintig centimeter kijkt ze naar buiten. De lantaarn aan de overkant verspreidt een eenzaam licht in de smalle straat.

Deze keer zijn ze niet naar een afgelegen plek gebracht.

Met samengeknepen ogen probeert Miruna de omgeving te verkennen. Het is te donker. Ze kan niet veel zien. Alleen het ronddraaiende licht van een onzichtbare vuurtoren zwenkt in de verte over het vlakke land.

Met tegenzin sluit ze het raam.

Wind voelt als vrijheid.

'Als ik het durf…' fluistert Miruna als ze de donkere kamer verlaat, 'zal ik ontsnappen.'

Hoofdstuk 2

DIT KLOPT NIET

Met krachtige slagen borstelt Brecht haar lange koperkleurige haar tot het prachtig glanst. Ze brengt haar gezicht dicht bij de spiegel en inspecteert haar huid. Vorige week ontdekte ze een puistje op het puntje van haar neus. Vreselijk! Een puistje is al erg, maar een exemplaar op het puntje van je neus is ronduit dramatisch. Ze heeft het met lichtbruine foundationcrème kunnen camoufleren.

Ondertussen denkt ze aan Jurre. Sinds ze hem kent, en dat is nog niet zo lang, duikt hij regelmatig in haar gedachten op. Jurre Duinkerken zit niet bij haar op school. Ze leerden elkaar aan de rand van het Blinkermeer kennen. Daarvoor had ze hem nog nooit ontmoet. Niet in het zwembad of het sportveld. En niet in de bibliotheek of het knusse winkelcentrum van Woudega.

Die bewuste middag ging ze uit verveling naar de smalle bosstrook langs het Blinkermeer. Daar zag ze hem voor het eerst. Een jongen met blonde krullen, een spitse kin en een smal ovaal gezicht. Zijn bruine ogen trokken meteen haar aandacht.

De afgelopen weken heeft ze hem beter leren kennen en sinds die tijd lukt het niet om hem uit haar hoofd zetten. Dat heeft vast te maken met de verwarring die ze voelde vanaf het moment dat ze hem in het bos zag lopen. Ze herkende hem. Maar hoe kun je iemand herkennen die je nog nooit eerder hebt gezien? Ze is niet verliefd. Hoewel? Een vreemde kriebel schiet door haar buik; Jurre is leuk!

'Hoe zou het voelen om verliefd te zijn?' fluistert ze tegen haar spiegelbeeld. Eigenlijk heeft ze geen zin in dat gedoe, maar toch is ze nieuwsgierig hoe het zal zijn om een vriendje te hebben. Een echt vriendje dat ze durft te kussen. Zou Jurre haar durven kussen?

Brecht kijkt naar zichzelf met grote paniekogen. Hoe kus je iemand op de mond? In films happen ze met gesloten ogen zachtjes naar elkaars lip. Jakkes, denkt ze.

Met een zwoele blik staart Brecht naar zichzelf en drukt haar lippen op de spiegel. 'Mwah! Mwah! Mwah!'

Plotseling wordt er zachtjes op de deur van de badkamer geklopt.

Geschrokken draait Brecht zich om en ziet haar moeder in de deuropening staan. Snel veegt ze de afdrukken van haar lippen van de spiegel.

'Wat doe je?'

'Niks!' antwoordt Brecht en voelt haar wangen rood kleuren.

'Grieperig?' Fenna kijkt haar dochter vragend aan. 'Heb je koorts?'

'Ik heb het gewoon warm.'

'En die rare geluiden?'

'Zomaar!' grijnst Brecht en pakt haar tandenborstel. 'Mwah, mwah, mwah...'

Fenna sluit fronsend de deur.

Vijf minuten later schuift Brecht aan de ontbijttafel en pakt een rozijnenbol uit het mandje.

'Heb je plannen voor vandaag?'

'Misschien,' antwoordt Brecht met volle mond.

'Met de IJsblinkers?'

Brecht leunt opzij om door het keukenraam te kunnen

kijken. 'Dat hangt van het weer af. Misschien gaan we naar het eiland.'

'Het wordt koud vandaag.'

'Als het maar droog blijft.'

Fenna kijkt naar haar dochter. Als moeder is ze natuurlijk bevooroordeeld, maar ze vindt Brecht een heel mooi meisje.

'Kijk niet zo.'

'Je straalt,' knipoogt Fenna.

Brecht neemt geen blad voor de mond. Ze vindt eerlijk zijn belangrijk maar daardoor is ze niet altijd even tactvol. Haar moeder vergelijkt haar wel eens met een olifant die door de porseleinkast loopt. Maar mensen blijven niet lang boos op Brecht. Wie haar aankijkt, wordt geraakt door de uitdagende, maar vooral mysterieuze blik in de grijsgroene ogen, en als ze je toelacht verschijnen er in beide wangen vrolijke kuiltjes. Volgens Fenna heeft ze iets waarmee ze mensen betovert!

Fenna schenkt een beker thee in en vraagt waar de medaille is die Brecht zaterdag tijdens de open kampioenschappen van Brekkenveen gewonnen heeft.

'Boven, op mijn bureau.'

'Is dit de eerste van een hele reeks?'

'Wie weet,' lacht Brecht.

Samen met Jurre heeft ze een week geleden voor de grap een schaatsclub opgericht, de IJsblinkers. De club heeft zeven leden en met z'n allen hebben ze meegedaan aan de wedstrijden in Brekkenveen. Iedereen kon zich daarvoor inschrijven, behalve kinderen die bij schaatsselecties zitten. Die hebben meer ervaring en kunnen sowieso hard schaatsen. Om andere kinderen een kans te geven, mochten zij dus niet meedoen. Tot ieders grote verrassing vielen Brecht en Jurre in de prijzen. Brecht werd derde bij de meisjes en Jurre eerste bij de jongens onder de twaalf.

De kinderen die een medaille hebben gewonnen, mogen binnenkort gratis een keer trainen bij de schaatsclub in de ijshal van Brekkenveen.

Brecht pakt haar jas van de kapstok en wikkelt een dikke sjaal om haar nek.

'Neem je de sleutel van de achterdeur mee?' zegt Fenna. 'Tussen de middag is er niemand thuis.'

Brecht knikt en stopt de sleutel in haar broekzak.

Het is kwart over acht als Brecht de straat uit fietst. Fenna hangt uit het raam om haar na te zwaaien, maar Brecht kijkt niet om. Ze heeft andere dingen aan haar hoofd.

Als ze het kleine winkelcentrum van Woudega nadert, wordt ze plotseling overvallen door een vreemd gevoel. Brecht kijkt om zich heen en haalt gejaagd adem. Het is alsof een onzichtbaar iets haar dwingt te kijken. Maar naar wat?

Een vage ongerustheid klopt in haar lijf. Ze voelt ogen in haar nek.

Brecht kijkt naar rechts. Er zijn geen voetgangers en achter de ramen van de huizen is niemand te zien. Ze kijkt naar de andere kant. Daar staat een groot huis, de gordijnen zijn nog dicht. Haar ogen dwalen af naar een verbouwde boerderij, daar brandt een klein lampje. Ze weet dat de boerderij als tweede huis wordt gebruikt. De boerderij staat ver naar achteren, bij het water, en is via een zandpad tussen te bereiken.

Ze haalt diep adem en gaat op haar pedalen staan.

Dan klinkt er een doffe bons. Wat was dat? Bonkte er iemand tegen het raam?

Brecht remt en tuurt naar het verbouwde boerderij. Net onder de rietkap zit een raam waarvan de luiken een klein beetje open staan. Plotseling ziet Brecht een silhouet bewegen achter het raam.

Ze huivert. Haar intuïtie waarschuwt! Dit klopt niet. Ze trekt haar sjaal strakker en fietst snel verder tegen de koude oostenwind in. Nog een keer kijkt ze achterom, maar de boerderij is al niet meer te zien. Dan tuurt Brecht naar de grijze lucht en vraagt zich af wat haar bang maakt.

Hoofdstuk 3

NIET RAAR?

Diep weggedoken in haar jas staat Berber koukleumend bij het fietsenhok van school op Brecht te wachten. 'Gaat het vanmiddag door?'
'Als het aan mij ligt wel.'
'Het is behoorlijk koud.'
'Dat is het meestal in de winter.'
'Op het eiland is het vast nog erger.'
'We lopen ons wel warm.'
Berber trekt haar neus op. 'Ik weet niet…'
'Je moet het zelf weten.' Brecht duwt haar fiets in het rek.
'Joehoe!' Lela holt naar hen toe. 'Gaat het door?'
'Ja!' antwoordt Brecht.
'Maar het is ijskoud.'
'Stel je niet aan. Jullie zijn watjes!'
'Ik weet best waarom jij graag wilt,' lacht Berber treiterig.
Brecht kijkt haar verbaasd aan. 'Ja, om aan mijn conditie te werken.'
'Echt waar…?' plaagt Berber.
'Wat hebben jullie?'
'Volgens ons gaat het bij jou niet echt om het schaatsen.'
Brecht klemt haar lippen op elkaar. 'Haha, wat zijn jullie grappig.'
'Wees eens eerlijk!'
'Waarover?'
'Jurre!' antwoorden Berber en Lela tegelijk.
'Vertel ons alles over deze ijselijke, maar prille liefde,' voegt

Lela er giechelend aan toe.

'Geen commentaar.'

'Kom op! We hebben recht op de feiten.'

'Zeur niet!' valt Brecht opeens uit. 'Ik heb niets met Jurre.'

'Hè, jammer,' grijnst Berber.

'Ik wil ook niets met hem. Het is gewoon een aardige jongen.'

'Zo-ho aa-haar-dig,' zingt Lela. 'Zo-ho vrees-lijk aa-haardig!'

'Ik wil gewoon sneller en beter kunnen schaatsen. Daar moet je voor trainen.'

'Huh?' Lela trekt een verongelijkt gezicht. 'Gaat het je echt alleen maar om het schaatsen?'

'Waar zie je me voor aan?' snuift Brecht verontwaardigd. 'Voor een jongensgek?'

Lela en Berber kijken haar zwijgend aan.

Brecht draait een haarlok om haar vingers.

Lela heeft donkere ogen en donker haar dat net tot haar schouders reikt. Berber is blond, heeft blauwe ogen en is langer dan Lela. De twee meiden zitten al vanaf de kleuterschool bij Brecht in de klas.

'Hou op met dat geheimzinnige gedoe,' adviseert Lela. 'Vertel ons wat er aan de hand is. We komen er toch wel achter.'

'Doe normaal. Ik ben niet verliefd, en hij is niet verliefd. We vinden schaatsen leuk en hebben met elkaar een club. Echt, ik heb hier geen zin in.'

'Vanmiddag...'

'Het zal mij worst wezen of jullie wel of niet meegaan trainen. Maar ik ga wel.'

'Jij hebt geen last van de kou. Logisch...'

Opeens moet Brecht lachen. 'Oké, ik zal de waarheid vertellen.

Daar hebben jullie recht op. Jurre en ik hebben niet alleen een relatie op het ijs. De liefde gaat verder. We overwegen te gaan samenwonen, in de grote schuur achter de villa van zijn ouders.' Zwijmelend kijkt ze naar de grijze lucht. 'Als hij me zoent, voel ik me in de zevende hemel.'

'Wauw! Je maakt me jaloers. Krijg je "heavenly kisses"?' grinnikt Lela. 'Die schijnen zeldzaam te zijn.'

'Wat is dat nou weer?' Berber trekt een onnozel gezicht. 'Als een jongen je kust en je voelt je in de zevende hemel, dan noemen ze dat een "heavenly kiss".'

'Een hemelse kus. Tja, we kunnen maar één ding doen,' zucht Berber. 'Vanmiddag om vier uur naar het eiland roeien en meedoen met de training.'

'En controleren of Brecht de waarheid spreekt,' vult Lela aan.

De bel gaat.

'He, IJsblinker!' brult Lela als ze Douwe buiten adem het plein op ziet fietsen. 'Precies op tijd.'

Brecht, Douwe, Lela en Berber zitten met z'n vieren op een andere school dan Jurre, Steven en Romke.

Voor die tijd hebben ze nooit contact met elkaar gehad. Nu vormen ze samen een schaatsclub. Het is bijzonder dat ze door het schaatsen vrienden zijn geworden.

Gelukkig is het vreemde gevoel verdwenen dat Brecht bekroop toen ze vanochtend naar school fietste. Af en toe dwalen haar gedachten nog terug naar de boerderij. Daar was iets niet in de haak. Hield iemand haar in de gaten? Misschien kan ze tussen de middag poolshoogte gaan nemen?

Een half uur voordat de school uitgaat, stuurt ze Jurre na lang aarzelen een sms'je. Vanuit het toilet.

Zin om bij ons te lunchen? Ja? Dan zie ik je om 12.10 uur bij het hofje achter de kerk.

Het is al twaalf uur en Brecht heeft nog geen reactie van Jurre gekregen.

'Nou ja, dan niet,' mompelt ze teleurgesteld.

Ze blijft nog even met Berber en Lela in het fietsenhok hangen.

'Is er eigenlijk stroom in de schuur?' vraagt Berber zich af.

Brecht haalt haar schouders op. 'Ik kan me niet herinneren dat er een lamp aan het plafond hing. Ik neem vanmiddag wel waxinelichtjes en lucifers mee.'

'Wat romantisch,' lacht Berber.

Op weg naar huis fietst Brecht voor de zekerheid langs het hofje achter de kerk. Zeven witte huisjes staan in een halve cirkel rond het pleintje achter de kerk.

'He, Brecht!'

Verbaasd kijkt ze om. Tot haar verrassing staat Jurre bij een grote boom op haar te wachten.

Verlegen lopen ze naar elkaar toe.

Brecht kijkt even om zich heen. Ze wil niet dat Berber en Lela haar zien. Straks denken ze echt dat ze verliefd is.

'Leuk, die uitnodiging,' lacht hij, terwijl hij naar de kale takken van de boom kijkt.

Brecht kucht zenuwachtig. 'Stel je er niet veel van voor. Het worden gewoon boterhammen met kaas. Maar eigenlijk wilde ik je een ander voorstel doen.'

'Ben ik hier naartoe gelokt onder valse voorwendselen?' Hij kijkt haar met gespeelde verontwaardiging aan.

'Toen ik vanochtend in de schemer langs een boerderij fietste, kreeg ik een raar gevoel. Het maakte me een beetje bang.'

'Een voorgevoel?'

Brecht schudt haar hoofd. 'Ik voelde dat iemand naar me keek.'

'Wat?'

'Het leek alsof iemand mij met zijn ogen volgde. Ik weet dat het vaag klinkt, maar ik kan het niet anders uitleggen. Ik wil daar eigenlijk wel rond kijken.'

'Durf je niet in je eentje?'

'Ik durf het wel...' mompelt ze stoer.

Jurre trekt een blauwe muts over zijn warrige bos haar. 'Voor boterhammen met kaas doe ik alles.'

Brecht glimlacht opgelucht. Sorry, maar iets anders kan ik je niet aanbieden.'

'Geeft niks. Sinds ik die tas met schaatsen vond en Tom van Zwinderen heb ontmoet, weet ik dat er meer is tussen hemel en aarde. Voorspellende dromen bijvoorbeeld. En vreemde voorgevoelens. Misschien ontdekken we iets in dat huis...'

[Lees IJsblinkers deel 1: IJsvleugels]

'Je vindt het niet raar?'

'Nee.'

Met een samenzweerderig lachje fietsen ze door het steegje langs het winkelcentrum naar het zandpad. Als ze er zijn kijkt Brecht om zich heen en wijst naar de verbouwde boerderij. 'Er is nu niets te zien, maar vanochtend zag ik iets achter dat raam bewegen...' Brecht kauwt op het touwtje van haar capuchon.

'Volgens mij staat het leeg,' oppert Jurre.

'Het is een vakantiehuis. Die mensen komen er niet zo vaak.'

Brecht tuurt naar de boerderij en haar blik blijft hangen bij het raam onder de rieten kap. De luiken staan nog steeds op een kier.

'Durf jij er naartoe?'

Hoofdstuk 4

INSLUIPERS

'Je mag niet zomaar bij anderen op het erf lopen,' zegt Brecht.

Jurre knikt. 'Dat weet ik.'

'De buren kunnen ons zien.'

'Misschien kunnen we via het water aan de achterkant van het huis komen?'

'Ja hallo! Waar halen we een boot vandaan?'

Zwijgend staan ze een paar seconden naast elkaar.

'Er staat geen auto. Die mensen zijn waarschijnlijk niet thuis. En als de familie hier in de zomervakantie logeert, hangt de vlag altijd in top.' Brecht wijst naar de grote vlaggenmast naast het pad.

'Duidelijk,' grijnst Jurre. 'Ze zijn er nu niet.'

'Misschien is er een logee of een zwerver.' Plotseling spert Brecht haar ogen wijd open. 'Kijk, daar!'

Jurre zet zijn fiets neer en loopt naar het zandpad. Daar ziet hij diepe sporen van autobanden.

'Verse sporen?' vraagt Brecht.

Jurre knikt. 'Zullen we aanbellen?'

'Wat moet ik zeggen als iemand opendoet?'

'Dan leg je uit dat jij weet dat het huis een groot deel van het jaar niet bewoond wordt, maar dat je zag dat er vanochtend iemand op de bovenste etage rondliep.'

'Ik snap het,' glimlacht Brecht en fietst zonder aarzelen over het modderige pad in de richting van het huis. 'We gaan eerst zelf rondkijken.'

Jurre ontdekt dat je via een pad langs het riet ook bij het huis kunt komen.

Brechts ogen glijden schichtig langs de gevel. Achter de kleine ruitjes beweegt niets. Ze kijkt Jurre aan en maakt een weifelend gebaar. 'We bellen aan en zien wel wat er gebeurt.'

Het geluid van de bel echoot door de holle ruimte.

Er wordt niet opengedaan. Jurre drukt nog een keer op de bel. 'Jammer.'

'Misschien is er wel iemand binnen, maar doet die gewoon niet open,' zegt Brecht.

Jurre laat zijn fiets tegen de heg zakken en gebaart Brecht hetzelfde te doen. 'De fietsen staan daar uit het zicht.'

Brecht volgt Jurre op de voet. Ze voelt hoe haar hart bonkt in haar keel. Ze weet zeker dat ze vanochtend in de schemer iemand voor het raam zag staan.

Aan de achterkant van het huis ligt een grindpad. De steentjes maken een akelig knerpend geluid onder hun schoenen.

Brecht tuurt door een stalraampje naar binnen en ziet een sfeervolle, moderne boerenkeuken. Er staan geen pannen op het fornuis, geen borden op het aanrecht, geen kopjes op de tafel. Ze schudt haar hoofd.

'Niks te zien?'

'Nee,' fluistert ze.

Jurre komt achter haar staan. Ze voelt zijn warme adem langs haar wang strijken.

Met de handen in zijn zak gaat Jurre naar de achterdeur. Hij steekt zijn hand uit om de deurkruk vast te pakken.

'Niet doen,' waarschuwt Brecht met hese stem.

Jurre laat zijn hand zakken en kijkt verwonderd opzij.

'Er kan een alarm afgaan.'

'Dat is waar,' mompelt hij. 'Een huis dat vaak leegstaat wordt beveiligd. Wat nu?'

'Boterhammen met kaas eten?' oppert Brecht.

Jurre lacht. 'Zo snel geven we het niet op. Jij hebt iemand gezien die hier waarschijnlijk niets te zoeken had. Kom, we gaan naar de buren.'

Brecht kijkt aandachtig naar de sporen van de autobanden. 'De auto is hier twee keer geweest. Zie je dat?'

'Zijn er ook voetsporen?' vraagt Jurre. Hij loopt langs Brecht heen en ontdekt een paar meter verderop inderdaad voetsporen.

Brecht volgt het spoor van diepe voetafdrukken naar de andere kant van de boerderij. Daar is een zijdeur, die half verscholen is onder een pergola.

'Er zijn hier een heleboel mensen geweest,' constateert Jurre en hij probeert de verschillende afdrukken van elkaar te onderscheiden. 'Vier of vijf mensen. Wat weet je van de eigenaar?'

'Een gepensioneerd echtpaar.'

'Ze hebben in ieder geval bezoek gehad.'

'Het zijn geen grote maten.'

'Nee, inderdaad,' beaamt Jurre.

Brecht zet haar schoen in een afdruk. Het past precies. 'Kinderen van onze leeftijd?'

'Hé, kijk daar!' roept Jurre ineens. Hij heeft een raam ontdekt dat op een kier staat.

Brecht vindt het maar niks om hier rond te sluipen. Stel dat ze worden betrapt… Maar Jurre is al bij het raam. Hij kijkt naar binnen en ziet dat het de badkamer is. Hij wurmt zijn vingers tussen de kier, maar het lukt hem niet in om het verder te openen. Brecht zoekt een dun, stevig takje waarmee Jurre het haakje omhoog kan wippen.

'Geen alarm?'

Hij schudt zijn hoofd. 'Naar binnen?'

'Maar als ze ons ontdekken…' fluistert Brecht.

'Dat gebeurt niet.' Jurre trekt het raam open en steekt zijn hoofd naar binnen. 'Volluk!' roept hij hard.

Er komt geen reactie.

Jurre kijkt Brecht vragend aan. Ze knikt instemmend. Hij pakt zich vast aan het kozijn en zwaait zijn been naar binnen. Brecht klimt achter hem aan. Ze is doodsbenauwd. Zo voelt het dus om een wildvreemd huis binnen te sluipen. Elk moment kan er iemand voor hun neus staan. Wat moeten ze dan zeggen?

Jurre is de badkamer al uit en wacht in een grote hal met een plavuizenvloer op Brecht.

'Het is doodstil,' piept Brecht.

Jurre opent de deur van de keuken en blijft in de deuropening staan. Daarna nemen ze een kijkje in de grote zitkamer.

'Het ziet er niet uit alsof de mensen terugkomen. Alles is opgeruimd, nergens liggen spullen,' constateert Jurre. 'Ben je bang?'

'Een beetje.'

'Voel je dat hier iets is geweest?'

'Ja,' antwoordt Brecht. 'Het huis voelt niet goed. Er hangt een spanning.'

Jurre doet een andere deur open. Daarachter is een trap naar beneden, die na een paar treden lijkt op te houden in totale duisternis. Een kille tochtstroom trekt langs hun benen omhoog.

'De kelder.'

'Daar hoef ik niet te kijken,' huivert Brecht.

Jurre duwt de deur zachtjes in het slot.

Ze besluiten naar boven te gaan.

Brechts huid tintelt van spanning. Haar hart gaat als een razende tekeer. Ze zal blij zijn als ze straks weer buiten is.

Ze gaan naar boven, naar de kamer aan de voorkant. Daar zag Brecht iemand voor het raam.

Er staat een tweepersoonsbed met een oranje sprei tegen de muur. Er tegenover staan een tweezitsbank en een klein rond tafeltje.

Er ligt niets in de kamer dat erop duidt dat hier vannacht iemand geslapen heeft. Brecht controleert het bed. Het onderlaken is schoon en ongekreukt.

'Vreemd,' mompelt ze terwijl ze haar schouders ophaalt. Langzaam loopt ze naar het raam en kijkt door de luiken naar buiten.

Ze denkt na, draait zich om en kijkt naar Jurre.

'Vergissing?' vraagt hij. 'Loos alarm?'

'Ik hoop het.' Brecht klinkt allerminst opgelucht.

'Kom, we smeren 'm.' Jurre draait zich om.

'Nee, wacht,' fluister Brecht opeens, maar Jurre is al bij de trap. Ze ziet een knuffelbeertje op de grond liggen. Ze grist het van de vloer, propt het in haar jaszak en haast zich achter Jurre aan. Ze wil hier zo snel mogelijk weg.

Hoofdstuk 5

VREEMD

Voorzichtig duwt Jurre het raam dicht. 'Nu weet ik hoe een crimineel zich voelt wanneer hij aan het inbreken is.' Hij wijst naar zijn hart. 'Het zal nooit mijn hobby worden. Als iemand ontdekt dat we binnen zijn geweest, hebben we gelazer in de tent.' Jurre werpt een snelle, maar onderzoekende blik naar Brecht. 'Heb je iets meegenomen?'

Brecht krijgt een kleur. 'Nee.'

Jurre loopt naast het grindpad om zo weinig mogelijk geluid te maken. 'Ik dacht dat je iets van de vloer oppakte.'

'Bedoel je dit?' Brecht versnelt haar pas en gaat naast hem lopen. Ze laat het beertje zien.

'Waarom heb je dat meegenomen?'

'Zomaar.'

'Het is van een kind.'

Brecht blijft aarzelend staan. Het is smoezelige, bruine beertje met een gerafeld rood strikje om de hals. 'Wat dan? Moet ik het terugbrengen?'

Jurre haalt diep adem en kijkt naar de boerderij. Hij schudt zijn hoofd. 'Je had moeten nadenken.'

'Ik kan het door het raam naar binnen gooien.'

'Waarom nam je het mee?'

'Ik weet het niet, het ging vanzelf.'

'Vanzelf?'

'Ja...' Brecht voelt zich belachelijk en heeft spijt van haar opwelling. 'Ik weet vaak niet eens waarom ik dingen doe.'

'Handig.'

'Ik ben geen nadenker zoals jij.'
'Praat niet zo hard,' waarschuwt Jurre.
'Ik gooi het wel onder de struiken.'
'Ben je gek. Dan weten ze meteen dat er iemand binnen is geweest.'
'Welnee. Een kind laat zijn spullen overal slingeren.'
'Houd dat beertje nou maar in je jaszak.'
Zwijgend pakken ze hun fiets en verdwijnen via het smalle pad langs het water. Ze komen op een zijstraat van het Sylspaed uit.
'Vaak begrijp ik later pas waarom ik iets heb gedaan,' hoort Brecht zichzelf zeggen.
'Fijn.'
'Vind je me nu stom?'
Jurre kijkt haar verbaasd aan. 'Ben jij onzeker ofzo?'
'Waar slaat dat nou op?'
'Waarom vraag je anders of ik jou stom vind?'
'Dat is geen antwoord.'
'Ik vind je niet stom.'
'Echt niet?'
Jurre lacht. 'Niet te geloven! Vind jij het belangrijk wat ik van jou vind?'
'Ik ben ook maar een mens! Ik ben impulsief en werk me daardoor wel eens in de nesten.'
'Dat kan ik me voorstellen.'
'Mijn moeder zegt dat ik eerst tot tien moet tellen voor ik weer iets stoms uithaal.'
Nu lachen ze allebei.
'Ik vind je bijzonder,' zegt Jurre opeens. 'Niet dom.'
Brecht kleurt. Aan de manier waarop hij dat zegt, voelt ze dat hij het meent. 'Het is stom dat ik het beertje heb meegenomen. Ik vond het zielig dat het daar op de grond lag.'

'Meisjes!' verzucht hij met een knipoog. 'Misschien weet je binnenkort waarom je het meenam.'

'Het is geen bijzonder beertje.'

'Nee, maar het is wel van iemand.'

Het is bijna één uur als ze bij Brecht thuis aankomen. Staand bij het aanrecht eten ze hun boterhammen. Brecht is nieuwsgierig naar de reactie van Jurres ouders toen hij afgelopen zaterdag met een medaille thuiskwam. Zijn ouders konden niet naar de wedstrijd in Brekkenveen komen vanwege een zakelijke afspraak. Voor Jurre was dat niet zo leuk, al liet hij het niet merken.

Jurres vader heeft moeite met hem, omdat Jurre geen uitblinker is op school, maar het liefst urenlang op zijn kamer of ergens in de natuur zit te tekenen. Jurre heeft tekentalent, maar zijn vader wil liever dat hij gaat studeren om later een goede baan te krijgen waarmee hij veel geld verdient. Jurre vindt dat niet belangrijk.

'Mijn moeder zei dat ze trots op me was,' antwoordt Jurre.

'En je vader?'

Jurre lacht smalend en neemt een hap van zijn boterham.

'Zei hij niets?'

'Hij feliciteerde me en was verbaasd. Als ik snel kon schaatsen, dan zou ik rekenen en taal ook wel wat sneller kunnen doen. Hij vindt dat ik op school niet genoeg mijn best doe.'

'Nou ja!'

'Ach, ik ben wel wat gewend.'

'Wil je melk?' Brecht staat bij de koelkast.

Jurre knikt.

Jurre kijkt om zich heen, de beker melk in zijn hand. De keuken is gezellig. De kastdeurtjes zijn rood, de deuren okergeel en de gordijnen voor de kleine keukenruitjes knalroze.

'Wie heeft de kleuren uitgekozen?'
'Mijn moeder, m'n zus en ik. Doet het pijn aan je ogen?' grapt ze.
'Bij ons is alles modern en wit.'
'Dat kan ook mooi zijn.'
'In onze keuken is het is koud en ongezellig.'
Brecht spoelt de glazen af, pakt twee appels en gooit er eentje naar Jurre. Hij kan hem nog net op tijd vangen.
'Je blijft schaatsen, hè?'
'Natuurlijk. Ik vind het leuk.'
'Meneer Van Zwinderen zat op de tribune voor jou.'
'Toen ik dat thuis vertelde, zei mijn vader spottend: "Sommige mensen hebben alle tijd van de wereld." Dat vond ik niet echt leuk.'
'Het is om moedeloos van te worden.'
De oude schaatsen die Jurre gebruikt, zijn van meneer Van Zwinderen. Die kreeg de schaatsen voor zijn dertiende verjaardag van zijn opa, die twee maanden daarna overleed. De schaatsen zijn nu bijna veertig jaar oud en hebben een speciale betekenis voor hem. Dat Jurre er zijn eerste schaatswedstrijd mee zou rijden, vond hij zo bijzonder dat het echtpaar Van Zwinderen besloot om eerder van hun lange weekend in Limburg terug te komen om de wedstrijd in Brekkenveen bij te kunnen wonen.

Vroeger droomde Van Zwinderen weleens dat een jongen met blond krullend haar met zijn oude schaatsen ooit kampioen zou worden. Hij geloofde niet in voorspellende dromen, maar daar denkt hij nu anders over. Tom van Zwinderen wil graag contact houden met Jurre en de andere IJsblinkers. Hij is vreselijk trots op Jurre.

Brecht vindt het verschrikkelijk dat Jurres vader alleen maar is geïnteresseerd in zijn eigen werk. Geld verdienen vindt hij vreselijk belangrijk. Maar volgens Brecht zijn er meer dingen in het leven dan alleen geld verdienen.

'Ik heb nooit met anderen over mijn vader gesproken. Jij bent de eerste.'

Brecht houdt verlegen de sleutel omhoog. 'We moeten terug.'

Ze fietsen door het Sylspaed terug en kijken naar de boerderij.

'Toen ik vanochtend een doffe bons hoorde kreeg ik het gevoel dat iemand mijn aandacht wilde trekken,' herinnert Brecht zich.

'Het kan ook zijn dat iemand een grap uithaalde door op het raam te bonzen!'

'Ja, dat kan ook.'

Een man stapt uit de voordeur van de woning naast de boerderij. Brecht bedenkt zich geen seconde en fietst naar hem toe.

'Weet u toevallig ook of de eigenaar van de boerderij er is?'

De man neemt haar fronsend op. 'Waarom wil je dat weten?'

Brecht legt uit dat ze vanochtend iemand boven voor het raam zag. 'Ik vroeg me af wie dat was. De eigenaar en zijn familie komen meestal alleen in de zomer.'

'Iemand heeft de woning gehuurd. De eigenaar heeft me daarover gebeld.'

'Goed dat ik het weet,' glimlacht Brecht. 'Ik vond het al vreemd.'

'Wij ook,' zegt de man. 'De gasten kwamen na middernacht en zijn vanochtend vrij vroeg al weer vertrokken.'

Even later zijn Jurre en Brecht bij het kruispunt waar ze elk een andere kant op moeten. Ze stappen af.

'Je bent stil,' zegt Jurre.

'Er klopt iets niet met dat huis,' zucht Brecht. 'Ik weet het zeker.'

Hoofdstuk 6

PROBLEEM

'Mijn moeder zegt vaak dat ik goed naar mijn intuïtie moet luisteren.'
'Wat is intuïtie?'
'Weet je dat niet?' Brecht kijkt hem verbaasd aan.
'Jawel, maar ik vroeg me af hoe je dat kunt uitleggen.'
'De meeste mensen zijn vergeten wat het is.'
'Een instinct?' probeert Jurre. 'Zoals bij dieren?'
'Zoiets. Mijn moeder geeft al jaren cursussen "Intuïtief Ontwikkelen".'
'En wat is dat dan?'
'Dat moet je haar maar vragen. Het gaat erom dat je vanuit je binnenste informatie krijgt. Het is belangrijk dat je weet op welke manier jouw innerlijk signalen geeft.'
'Het innerlijk, is dat onze ziel? Dus wat je eigenlijk bent?'
'Pffft.' Brecht trekt een frons in haar voorhoofd. 'Je moet niet van die moeilijke vragen stellen,' grijnst ze. 'Ik weet niet of onze ziel hetzelfde is als onze intuïtie. Beide zijn in ieder geval onzichtbaar. Via onze intuïtie krijgen we informatie. Veel mensen begrijpen de signalen niet. Als mensen zomaar om niets bang worden, lachen ze die gedachte weg. Waar zouden ze bang voor moeten zijn? Ze zitten veilig in huis. Er is niets aan de hand. Het onweert en stormt niet. Wat kan er gebeuren? Door logisch na te denken duwen ze dat gevoel weg. Dan ineens slaat het noodlot toe.'
'Bijvoorbeeld?' Jurre kijkt haar plagend aan.
'Het plafond komt naar beneden of een kaars valt om

waardoor de gordijnen in brand vliegen. Vroeger was intuïtie heel belangrijk. Ik denk dat mensen toen wisten wat de betekenis van hun gevoel was.'

'Interessant,' knikt Jurre. 'Dus jouw intuïtie waarschuwt jou, omdat er iets aan de hand is in die boerderij.'

'Ja, maar het is natuurlijk de vraag of het belangrijk is voor mij om dat uit te zoeken.'

'Dát weet ik ook niet,' lacht Jurre. Hij kijkt op zijn horloge en schrikt. 'Over zeven minuten begint school! We moeten opschieten! Zie ik je straks om vier uur bij het Blinkermeer?'

'Zeker!'

En paar minuten later fietst Brecht buiten adem het lege plein op. Lela en Berber staan haar in de deuropening op te wachten.

'Je bent laat!' roept Lela.

Brecht is op haar hoede. Hebben ze haar gezien met Jurre?

'We hebben geprobeerd je te bellen,' legt Lela uit.

'Ik had een leuk idee en wilde dat even met je overleggen voordat je naar school zou gaan.'

'Hebben jullie mij gebeld?' Brecht wil haar telefoon uit de broekzak halen. Ze spert haar ogen geschrokken open. 'Mijn telefoon is weg!'

Wanneer heeft ze hem voor het laatste gebruikt?

Hij zal toch niet uit haar zak zijn gegleden toen ze door het raam van de badkamer naar binnen is geklommen. Stel dat de telefoon daar ligt…

'Heb je hem thuis laten liggen?'

'Ik denk dat ik hem heb verloren,' fluistert Brecht ontdaan. Ze heeft lang voor deze telefoon gespaard omdat ze hem van haar ouders zelf moest betalen. 'Hoe laat hebben jullie mij gebeld?'

Berber denkt na. 'Rond kwart voor één.'
De schrik slaat Brecht om het hart. De kans is heel groot dat haar mobieltje in die boerderij ligt.
'Hij zit gewoon in een andere jaszak,' oppert Lela.
'Ik heb hem altijd in mijn broekzak.'
Berber heeft met haar te doen. 'Vet balen!' zegt ze.
'Dames, mag ik u allen uitnodigen het klaslokaal te betreden, zodat ik weer de spaarzame hersenen in jullie bovenkamer kan activeren!' Meester Bert staat aan het eind van de gang.
Brecht loopt snel naar hem toe. 'Ik ben mijn telefoon kwijt. Waarschijnlijk heb ik hem verloren... Mag ik nog even naar buiten? In het fietsenhok...'
'Vijf minuten.'
Lela en Berber willen meelopen, maar meester Bert roept ze terug.
Vlug rent Brecht naar buiten en volgt dezelfde weg die ze gelopen heeft. Hoe goed ze ook zoekt, de telefoon ligt niet op het plein, niet in het fietsenhok en niet op de stoep voor de school.
Met tegenzin ploft ze even later met een bedrukt gezicht op haar stoel. Berber schuift een briefje over de tafel met de boodschap dat ze na schooltijd zullen helpen zoeken. Het briefje eindigt met de opmerking dat ze de conditietraining op het eiland laten schieten. Ze vinden het belangrijker om de telefoon terug te vinden.
De middag op school duurt vreselijk lang. Brecht kan zich met geen mogelijkheid concentreren op ingewikkelde sommen, wereldoriëntatie en een onverwacht dictee.
Om halfvier staat ze als eerste bij het fietsenhok. 'Opschieten!' wenkt ze ongeduldig naar Berber en Lela.
'Eerst een reconstructie maken,' zegt Lela deftig. 'Je moet

precies vertellen waar je bent geweest en wanneer je de telefoon voor het laatst hebt gebruikt.'

Brecht bijt bedachtzaam op de binnenkant van haar wang. Moet ze vertellen dat ze een afspraak met Jurre had? Dan vertelt ze dat ze haar telefoon waarschijnlijk heeft verloren bij een boerderij waar ze tussen de middag is geweest. Brecht legt uit welke boerderij ze bedoelt. Over Jurre rept ze met geen woord.

'Dat huis staat het grootste deel van het haar jaar leeg,' meldt Berber. 'Waarom ben je daar geweest?'

'Toen ik er vanochtend langs fietste, hoorde ik een bons en zag ik een schim op de boven achter een raam bewegen.'

'Een spook,' griezelt Berber.

'Het is toch normaal dat er soms mensen in dat huis zijn?' Lela kijkt verwonderd opzij.

'Natuurlijk. Het is een vakantiehuis. Maar toen ik tussen de smalle opening van de luiken door iemand zag staan kreeg ik een vreemd gevoel. Een stemmetje in mijn hoofd vertelde dat er iets aan de hand was. Ik ben ernaartoe gegaan om te kijken. Toen ik aanbelde werd er niet opengedaan. Ik zag dat alles opgeruimd was. Niets wees erop dat er mensen in het huis logeerden. Toch heb ik vanochtend echt iemand gezien.'

'En toen?' Berber kijkt haar nieuwsgierig aan.

'Toen ontdekte ik dat het raam van de badkamer op een kier stond en ben naar binnen geklommen.'

'Durfde je dat in je eentje?' Lela is verbijsterd.

'Dat gevoel dat er iets niet klopte, was heel sterk. Ik móést gewoon gaan kijken.'

'Lege huizen vind ik doodeng,' mompelt Lela. 'Ben je een spook tegengekomen?'

'Nee,' antwoordt Brecht grijnzend. 'De buurman vertelde

dat hij door de eigenaar was ingelicht dat de woning een paar dagen aan onbekende mensen verhuurd was.'

'Met een beetje geluk ligt jouw telefoon ergens buiten,' zegt Berber.

'Meestal heb ik geluk, maar nu vrees ik het ergste.'

De meisjes fietsen langs het water en kunnen onopgemerkt aan de achterkant van de boerderij komen. Vanaf de waterkant bekijken ze het huis. Er is geen teken van leven te zien.

'De buren mogen ons niet zien,' fluistert Brecht zenuwachtig.

Op haar horloge ziet ze dat het al bijna vier uur is. Jurre staat waarschijnlijk met de andere jongens bij de steiger te wachten.

Ze leggen hun fietsen in het gras en klimmen over een hek en lopen langzaam naar de boerderij.

Buiten vinden ze geen telefoon.

'Dat kan maar één ding betekenen,' fluistert Brecht.

'Stil eens...' Berber drukt een vinger tegen haar lippen.

Brecht en Lela kijken angstig om zich heen.

'Wat is er?' fluistert Brecht.

Berber wijst naar de boerderij. 'Ik hoor een telefoon overgaan.'

'Shit!' Brecht herkent de beltoon meteen. 'Dat is de mijne!'

'Weet je dat zeker?'

'Ja...'

Het gerinkel houdt na een tijd op.

'Wat nu?' vraagt Berber.

Brecht klemt haar kaken op elkaar en mompelt: 'Ik heb een probleem.'

Hoofdstuk 7

TOEVAL BESTAAT NIET

'Zullen we aanbellen?' Lela kijkt van de een naar de ander. Brecht haalt haar schouders op en laat ze weer zakken. 'Hoe moet ik dit uitleggen? Mevrouw, een paar uur geleden ben ik uw woning binnengedrongen en ik heb waarschijnlijk mijn telefoon in uw huis verloren. Mag ik even zoeken?' Brecht slaakt een moedeloze zucht. 'Ik heb me in de nesten gewerkt.'

'Je kunt eerlijk vertellen hoe de vork in de steel zit,' vindt Berber.

'Ik ben het huis stiekem binnengeslopen. Daar krijg ik problemen mee.'

De meisjes praten fluisterend tegen elkaar.

'Wil je je telefoon terug?'

Brecht kijkt Lela verontwaardigd aan. 'Wat een domme vraag! Natuurlijk!'

'Als je hem terug wilt, moet je iets doen. Hier blijven staan lost niets op.'

Brecht haalt diep adem en kijkt peinzend om zich heen. Wat zullen haar ouders zeggen als ze hier achter komen?

Opeens loopt Brecht over het grindpad naar de voordeur. Met een schuin oog kijkt ze naar het raam van de badkamer. Het staat nog steeds op een kier.

'Bel je aan?' vraagt Berber.

'Nee, ik gooi een steen door de ruit. Dat zie je toch?' Brecht is boos op zichzelf.

Lela en Berber volgen zwijgend.

Als ze bij de deur staan, horen ze Brechts telefoon opnieuw overgaan.

Zes keer. Daarna heerst er absolute stilte in het grote huis.

'Jurre vraagt zich af waar je blijft,' giechelt Berber.

Brecht kijkt haar geërgerd aan en drukt op de bel. Er wordt niet opengedaan.

'Als je wilt kun je door het raam naar binnen,' zegt Lela. 'Wij houden buiten alles in de gaten.'

'Dat doe ik niet.'

Lela wijst naar de bovenverdieping. 'Je bent hemelsbreed twintig meter van de telefoon verwijderd.'

'Het risico dat ik betrapt word, is te groot. Ik moet iets anders bedenken.' Brecht loopt naar de plaats waar de autosporen goed te zien zijn. Nieuwe sporen zijn er niet bij gekomen.

Ze horen een deur opengaan.

Brecht, Lela en Berber duiken weg achter een struik.

'Dat zijn de buren,' gebaart Berber.

Ineengedoken sluipen ze langs de heg en verstoppen zich achter de garage.

Ze horen voetstappen aan de andere kant van de heg. Een man en een vrouw praten zacht met elkaar. Ze staan op een paar meter afstand van de drie meisjes.

'Ze stonden bij de voordeur,' zegt de vrouw.

'Volgens mij hangen ze in de tuin rond,' antwoordt de man met nasale stem. 'Ik heb ze niet weg zien gaan.'

Lela doet een schietgebedje.

'We moeten weg,' mompelt Berber benauwd.

Brecht maakt een gebaar dat ze rustig moeten blijven zitten. 'Hier zien ze ons niet.'

'Wel als ze achter in de tuin komen.'

Lela knijpt hen beiden waarschuwend in de arm. 'Mond houden.'

Een minuut lang is het doodstil aan de andere kant van de heg.

Wat voeren ze in hun schild? Lopen ze naar de voorkant van de boerderij? Of inspecteren ze de grote tuin door een gat in de heg? De drie meiden zijn nerveus en wachten met bonkend hart af.

Als ze ontdekken dat het echtpaar naar de achterdeur van hun eigen huis is gelopen, halen de meisjes opgelucht adem.

'Ik vertrouw het zaakje niet…' horen ze de vrouw nog zeggen.

'Ik bel hem straks op.'

Brecht, Lela en Berber wachten een paar minuten om er zeker van te zijn dat de kust veilig is. Dan verdwijnen ze fietsend over het pad langs het water.

'Wil iemand Jurre of Douwe bellen?' vraagt Brecht buiten adem. 'Ik had afgesproken dat we om vier uur bij de steiger zouden staan.'

'Mijn beltegoed…' begint Lela.

'Je krijgt een euro van me,' onderbreekt Brecht.

Lela heeft het nummer van Douwe opgeslagen. Ze belt en hij neemt meteen op. Lela legt uit waarom ze laat zijn en eerst naar huis gaan, voordat ze naar het Blinkermeer fietsen.

Het is kwart voor vijf als de meisjes door Steven per boot op het eiland worden afgezet.

Lela en Berber hebben allebei een thermoskan heet water meegenomen waarmee ze voor iedereen een beker thee kunnen maken. Brecht heeft een grote hotelcake uit de voorraadkast gepakt.

Jurre heeft direct door dat Brecht haar vriendinnen niet heeft verteld dat hij tussen de middag bij haar was.

'Ik vond het al vreemd dat je de telefoon niet opnam. We vroegen ons af waar jullie bleven,' mompelt Jurre. 'We zaten hier in de schuur te wachten.'

De schuur is waarschijnlijk eigendom van de Vogelwacht, maar hij is al jaren niet meer in gebruik. Jurre vond op de zolder een oude tas met schaatsspullen. Verder staan er geen waardevolle dingen. En de laatste bezoeker heeft niet de moeite genomen om de deur af te sluiten.

'Wat zou ik kunnen doen om de telefoon terug te krijgen?' vraagt Brecht wanneer de anderen buiten gehoorsafstand zijn.

Jurre haalt zijn schouders op. 'Wat zegt jouw intuïtie?'

'Ik weet het niet.'

'Misschien moet je dan niets doen.'

'Niets?' herhaalt ze bedachtzaam.

'Je moet je niet zo te sappel maken. Het is maar een telefoon.'

Brecht glimlacht als een boer met kiespijn.

Romke trommelt iedereen bij elkaar. 'Het begint al te schemeren. Als we onze benen niet willen breken, moeten we nu met de training beginnen! Straks zien we geen hand voor ogen.'

Na een korte warming-up rennen ze achter elkaar over een overwoekerd pad langs de rietkraag het eiland rond. Ze stoppen drie keer om uit te rusten.

'War-hum!' hijgt Berber.

Brecht helpt haar herinneren dat ze het te koud vond om te trainen.

'Nog een rondje?' vraagt Jurre.

'Ik wil het wel proberen!' roept Brecht. Ze leunt tegen de schuur en masseert haar kuiten. 'Nog meer liefhebbers?'

Steven, Romke en Douwe knikken instemmend.

'Maken jullie het maar gezellig in de schuur,' zegt Jurre tegen Lela en Berber. 'Over een kwartier zijn we terug.'

'Uitslover!' grijnst Lela wanneer Brecht achter de jongens aan naar de rietkraag rent.

'Ik wil mijn conditie verbeteren. Dat lukt niet als ik steeds ga rusten.'

'Tot straks!' Berber en Lela zwaaien haar na.

Brecht vraagt zich af hoe ze haar telefoon terug kan krijgen. Die vraag blijft door haar hoofd malen.

Het laatste stuk haakt ze af. Jurre gaat iets langzamer lopen en blijft bij haar in de buurt. Brecht vindt het lief van hem, maar durft dat niet tegen hem te zeggen.

Wanneer ze bij de schuur terugkomen hebben Berber en Lela kaarsjes aangestoken. Het ziet er gezellig uit. De oude houten bank en een paar omgedraaide kistjes dienen als zitplaats.

'Thee?' vraagt Berber.

'Met cake!' lacht Brecht en pakt de cake uit haar tas.

'Heb jij…?' Berber kijkt Lela aan.

'Ik dacht dat jij…' kreunt Berber.

Een paar tellen later begint het tweetal te gieren van het lachen.

'Waar hebben die last van?' vraagt Romke.

'Dat is wel duidelijk,' zucht Steven. 'Ze hebben wel warm water én theezakjes maar geen bekertjes meegenomen.'

'Handig!' giert Brecht die een mes omhoog houdt waarmee ze de cake kan snijden.

De meisjes worden even later door Jurre naar de overkant geroeid. Daar wachten ze tot Douwe, Steven en Romke opgehaald zijn.

Met z'n allen fietsen ze terug naar Woudega. Onderweg overleggen ze wanneer ze naar de IJshal zullen gaan om te schaatsen. Onder een lantaarnpaal in het centrum blijven ze nog even napraten. Jurre en Brecht blijven tenslotte als laatste over.

'We bedenken wel iets om die telefoon terug te krijgen,' zegt Jurre.

'Mijn moeder zegt altijd dat alles wat gebeurt een reden heeft.' Brecht klinkt spottend. 'Dus zal het wel een reden hebben dat ik mijn telefoon ben kwijtgeraakt.'

'Bedoel je dat toeval niet bestaat?'

'Volgens mijn moeder in ieder geval niet.'

Hoofdstuk 8

VERBIJSTERING

Brecht fietst langs de zijkant van het huis. Het grootste deel van haar gezicht gaat schuil achter haar dikke, gebreide sjaal. De rode muts met grappige oortjes heeft ze tot net boven haar ogen getrokken. Haar handen zitten diep in de mouwen van haar jas.

'Arme stakker! Je bent verkleumd tot op het bot!' Met wijd open armen staat Fonger zijn dochter op te wachten. 'Kom in de armen van je grote, sterke, lieve papa.'

'Pap, doe normaal,' smeekt Froukje. 'Je weet dat Brecht niet van zo'n welkomstritueel houdt.'

'Is dat zo?' Fonger laat zijn armen teleurgesteld naast zijn lichaam hangen.

'Ja, pap. Dat is zo,' beaamt Brecht nors. Ze loopt langs haar vader, hangt haar jas aan de kapstok en gooit haar rugzak onverschillig in een hoek.

'Problemen?' vraagt Fenna zachtjes. Ze staat bij het fornuis en bakt blokjes tofu met uien, knoflook en champignons. Het ruikt heerlijk in de keuken. 'Let niet op mij.'

Fonger gaat op een stoel zitten en kijkt naar zijn jongste dochter. 'Is er iets gebeurd?'

'Alsjeblieft,' smeekt Brecht. 'Ik ben er even niet.'

'Ludduhvudduh!' constateert Froukje.

'Begin jij ook al?'

'Jongens, laat Brecht met rust,' zegt Fenna hoofdschuddend. Brecht werpt een dankbare blik naar haar moeder. Ze wast haar handen en schuift aan tafel.

'Hard getraind?' Froukje kijkt haar zusje aan. Ze is vijftien en zit in de vierde van het atheneum. Ze heeft net als Brecht lang, koperkleurig haar en sproeten in haar gezicht.

Het gebeurt nogal eens dat er verhitte discussies of irritaties tussen de zusjes ontstaan. Dan vliegen de vonken er van af. Maar hun ruzies zijn meestal snel bijgelegd.

'Ik ben bekaf,' antwoordt Brecht. 'Dacht je dat ik naar het eiland ga om in mijn neus te peuteren?'

'Waarom naar het eiland?' vraagt Fonger. 'Je kunt toch ook in het park trainen?'

'Het kleine huisje op het eiland is omgedoopt tot ons clubhuis. Dat is leuker.'

'Wie is de eigenaar?'

Brecht haalt haar schouders op. 'Waarschijnlijk is het van de Vogelwacht uit Woudega.'

'Dat moet je navragen. Het is beter dat je officieel toestemming vraagt voordat je iemands eigendom betreedt.'

'Het is een krot. Vandaag of morgen stort het in elkaar.'

'Daar gaat het niet om.'

Brecht negeert de opmerking van haar vader en vertelt over de training.

Fenna pakt een vegetarische schotel uit de oven en zet de pan met tofu ernaast.

De telefoon gaat. Fenna neemt op. 'Met wie spreek ik? Ik versta u niet.'

Fonger, Froukje en Brecht kijken haar aan.

'Kunt u luider spreken?' Fenna schudt haar hoofd en legt de telefoon terug.

'Een hijger?' vraagt Froukje.

'Verkeerd verbonden,' vermoedt Fenna. 'Smakelijk eten!'

Brecht voelt zich nog steeds chagrijnig. Ze wil haar mobieltje terug.

'Wat een vreemd telefoontje,'' mompelt Fenna tussen twee happen door. 'Ik had even het gevoel contact te hebben met een buitenaards wezen.'

'Een man of een vrouw?' vraagt Fonger.

'Waarschijnlijk een meisje.'

'Een buitenaards wezen, dat zou gaaf zijn,' lacht Froukje.

Een paar minuten later gaat de telefoon weer.

Froukje veert overeind. 'Mag ik?' Ze wacht het antwoord niet af, maar grijpt de hoorn. 'Goedenavond, u spreekt met Froukje Reitsma.'

Het is doodstil in de keuken.

Froukje luistert ingespannen en seint naar de anderen dat het dezelfde beller is. 'Wat is je naam?'

Froukje begrijpt weinig van het gesprek en na een halve minuut hangt ze op.

'Verkeerd verbonden?' vraagt Fonger terwijl hij zijn vork neerlegt.

'Ik weet het niet.' Froukje loopt terug naar haar stoel. 'Het klonk raar.'

Fenna kijkt haar dochter aan. 'Het zal wel hetzelfde meisje zijn geweest.'

'Het zal wel een flauwe grap zijn,' merkt Fonger op.

Na het eten helpen Brecht en Froukje hun vader met afruimen. Fenna wil zich voorbereiden op een cursus die ze geeft.

Fonger vraagt of Brecht bij een echte schaatsclub zou willen.

'Van mij hoeft dat niet. Onze club IJsblinkers is erg leuk.'

'Een echte schaatsclub heeft een trainer.'

'Meneer Van Zwinderen wil ons misschien helpen.'

'Een trainer leert je alles over de techniek, hoe je moet

starten en hoe je aan je conditie kunt werken.' Fonger praat gewoon door.

'Wij IJsblinkers doen het op onze eigen manier.'

'Jullie kunnen je toch ook als IJsblinkers aansluiten bij een officiële club?'

'Dat kan,' knikt Brecht weinig enthousiast.

Froukje trekt haar neus op. 'Ik snap niet dat je schaatsen leuk vindt. Volgens mij is het een blauwe-plekken-sport.'

'Je moet niet nadenken, maar het gewoon doen en durven. Als je bang bent om te vallen, dan val je ook.'

'De laatste keer dat ik op een ijsbaan was, ben ik me rot geschrokken toen twee mannen een sprintje trokken. Ze schaatsen met zo'n noodgang langs me heen, dat ik viel.'

'Het is een kwestie van veel oefenen,' zegt Fonger. 'Als je meer ervaring hebt, krijg je ook meer zelfvertrouwen.'

'Het is mijn sport niet,' herhaalt Froukje. 'Ik verzamel liever postzegels.'

Brecht steekt haar tong uit. 'Jij durft!'

Als ze klaar zijn, verdwijnt Brecht naar boven en zet haar computer aan.

Het zit haar dwars dat ze haar ouders niet heeft verteld over haar telefoon.

Hé, er is een bericht van Jurre.

To: Brecht Reitsma
From: Jurre Duinkerken

Hallo Brecht!

De telefoon zal wel uit je zak zijn gegleden toen je dat smoezelige beertje van de grond raapte. De vraag is: hoe krijgen we die telefoon terug? We kunnen de buren vragen of zij een sleutel hebben, maar dan moet je uitleggen hoe de telefoon daar komt. Dat is lastig. Er is maar één oplossing. We moeten terug naar binnen. Kun je vanavond? Verzin een smoes. Het is nu al halfacht. Ik wacht tot acht uur op een reactie van je. Mijn ouders hebben visite. Ze zullen me niet missen.

Groeten, Jurre

Het is nu bijna kwart voor acht. Snel tikt Brecht een antwoord aan Jurre.
Ze duwt haar stoel naar achteren. Durft ze opnieuw die stille woning binnen te sluipen?
'Het zal wel moeten!' fluistert ze.
Het beertje gooit ze onder haar bed.
Snel zoekt ze haar bibliotheekkaart en laat die in haar tas glijden.
Froukje bonkt op haar deur. 'Heb jij die nieuwe cd van me?'
'Nee,' antwoordt Brecht en wacht tot haar zus verdwijnt. Ze zet de radio zachtjes aan en gaat de trap af.
Fonger laat de krant verbaasd naar beneden zakken. 'Ga je weg?'
'Naar de bieb.'
'Maak het niet te laat.'
'Nee, pap,' belooft ze. 'Tot zo!'
Froukjes telefoon gaat over. Brecht ziet hem op de keukentafel liggen. Ze pakt hem en loopt nietsvermoedend naar de gang. 'Froukje!' brult ze. Als ze naar het scherm kijkt, gaat er een schok van verbijstering door haar heen.
Boven klinkt gestommel.
Brecht legt de telefoon terug op tafel en verdwijnt naar buiten.

Hoofdstuk 9

RUZIE

Met opgetrokken benen zit Miruna op een vuile matras en leunt met haar rug tegen de vochtige muur. Door het kleine ruitje valt een kil streepje maanlicht naar binnen. Jennica ligt in een slaapzak naast haar. Ze ademt oppervlakkig. Zou ze slapen? Aan de andere kant zitten Ruxana en Bogna zachtjes met elkaar te praten. Ze betrekken Miruna niet bij het gesprek omdat ze kwaad zijn. Miruna's ogen zoeken de duistere silhouetten op de andere matras. Ze durven geen risico's te nemen, denkt ze bitter. Ruxana betrapte haar voor de tweede keer toen ze naar de bovenste verdieping van het huis was geslopen. Ze was laaiend.

'Stel je niet aan,' snauwde Miruna.

'Je moet je aan de regels houden.'

Miruna lachte schamper. 'Zíjn regels.'

'Zeur niet. We zijn veilig.'

'Hij dwingt ons!'

'Hij heeft beloofd…'

'Daar trap je toch niet in? Jullie zijn naïef!' verweet ze Ruxana. 'Hij is niet te vertrouwen. Denk je echt dat hij zich aan zijn belofte houdt?'

'Jij bent gevaarlijk! Jij probeert onze schuilplaats te verraden,' viel Bogna uit. 'Hij heeft ons gewaarschuwd. We mogen nergens in het huis komen. Behalve in het toilet op de begane grond. Niemand mag weten dat we hier zijn.' Ruxana liep dreigend en met geheven vinger naar haar toe. Haar grote bruine ogen vonkten van woede. 'Je brengt niet alleen jezelf, maar ook ons in gevaar.' 'Als ik verdwijn, hebben jullie geen last meer van me.' 'Als jij verdwijnt, krijgen wij moeilijkheden.' 'Daarom moeten we hier allemaal weg.' Even leek het alsof Jennica zich in de discussie wilde mengen. Maar ze draaide zich om en trok de slaapzak om zich heen. Sinds die woordenwisseling hebben ze niets meer tegen Miruna gezegd. 'Ik ben eigenlijk bang voor muizen,' fluistert Ruxana. Bogna giechelt. Miruna kruipt over haar matras naar de meisjes toe. Ze heeft lang genoeg gezwegen. 'Vannacht worden we opgehaald.' 'Je weet waar we naartoe gaan,' antwoordt Bogna laconiek. 'Dit is onze laatste kans.' De stilte gonst door de duistere ruimte. 'Hou alsjeblieft op met dat gezeur,' zucht Ruxana vermoeid. 'Waarom willen jullie niet?' Miruna's stem trilt. 'Dan worden de problemen groter dan ze nu zijn.' 'Dat hoeft niet.' 'Als je niet ophoudt, vertel ik het,' dreigt Bogna. 'Wil je mij verraden?' fluistert Miruna ontdaan. 'Je houdt je gedeisd.' De slaapzak die Miruna over haar schouders had geslagen, gooit ze van zich af. Ze staat op en loopt naar de deur. Er hangt een ijzige spanning. Bogna gaat langzaam staan. 'Wat ga je doen?'

Hoofdstuk 10

NIET MEE BEMOEIEN

Jurre staat bij een lantaarnpaal midden op het plein te wachten. Hij zwaait als hij Brecht ziet aankomen.

'Mijn telefoon is gevonden!' roept Brecht vanuit de verte. 'Ik wilde net weggaan toen de telefoon van mijn zus overging. Die lag op de keukentafel. Mijn nummer stond op de display!'

'Heb je opgenomen?'

'Nee. Ik was verbaasd en de verbinding werd verbroken.'

'Het is een goed teken. Als iemand de telefoon zelf wil houden, zal hij zeker niet naar de opgeslagen nummers bellen.'

'Dat is waar,' mompelt Brecht in gedachten. 'Zou de vinder op deze manier proberen te achterhalen van wie de telefoon is?'

'Kan.'

'Jij hebt mijn nummer in jouw bestand, hè?'

Jurre haalt de telefoon uit de binnenzak van zijn jas. 'Zal ik bellen?'

'Doe maar.'

Gespannen bijt Brecht op haar duimnagel. De telefoon gaat wel over maar er wordt niet opgenomen.

'Dit is de voicemail van Brecht Reitsma. Ik ben er even niet. Als het dringend is, moet je me straks nog maar eens bellen. Groetjes.'

'Ik probeer het straks nog een keer,' zegt Jurre. Hij kijkt haar aan. 'Wel of niet naar de boerderij?'

'Iemand heeft de telefoon gevonden, dus...'

'Dus?'

'Dus hoeven we niet naar de boerderij.'

'We kunnen aanbellen. Die telefoon is daar nog.'

'Dat zou mooi zijn,' mompelt Brecht. 'Maar dan moet ik uitleggen hoe dat ding daar terecht is gekomen.'

'We verzinnen wel iets. De kans is groot dat je straks de telefoon weer terug hebt.'

Vanaf de straat zien ze dat er geen licht in de boerderij brandt.

'Misschien aan de achterkant van het huis,' hoopt Jurre.

Brecht heeft haar bedenkingen. 'Er staat geen auto.'

'Dat zegt niets. We gaan kijken.'

Ze besluiten het pad langs de waterkant te nemen.

'Het is beter dat de buren ons niet zien,' vindt Jurre.

Vijf minuten later staan ze in de grote tuin van de boerderij.

'Nergens licht,' constateert Jurre overbodig.

'Heb je de zaklamp meegenomen? Ik wil zien of er nieuwe sporen zijn.'

Achter elkaar lopen ze door de tuin naar het onverharde erf, waar de bandensporen te zien waren.

Jurre durft de zaklamp pas aan te doen als hij zeker weet dat er geen mensen in de buurt zijn. Zoekend schijnt hij over de grond.

Brecht ontdekt dat er een auto is geweest. 'Dezelfde! Kijk maar.'

In het licht van de zaklamp zien ze dat de auto gedraaid is en weer weggereden.

En er zijn nieuwe voetafdrukken! De mensen zijn aan dezelfde kant uitgestapt en via de zijdeur de boerderij binnengegaan.

Een angstig voorgevoel maakt zich van Brecht meester.

Jurre buigt voorover om de afdrukken goed te kunnen bekijken.

Brecht kijkt schichtig om zich heen. Haar angst neemt met de seconde toe. 'Jurre,' piept ze benauwd. 'We zijn niet alleen.'

Jurre recht zijn rug en kijkt spiedend om zich heen. 'Wat bedoel je?'

'Ik heb het gevoel dat iemand naar ons kijkt.'

Jurre legt een hand op haar schouder en trekt haar voorzichtig naar achteren. 'Hier kan niemand ons zien.'

Ze staan achter een grote spar.

'We zijn al gesignaleerd.'

Jurre schraapt zijn keel. 'Heb je weer dat nare gevoel?'

'Ja,' fluistert ze. 'Iets in dat huis maakt me erg bang.'

'Je wilt niet naar binnen?'

'Ik durf niet.'

'We kunnen twee dingen doen,' oppert Jurre. 'Aanbellen of naar de buren gaan.'

'Die telefoon maakt me niks meer uit. Ik spaar wel voor een nieuwe.'

'Aanbellen?'

Brecht slikt. 'Ze doen toch niet open.'

Jurre hakt de knoop door. 'Dan gaan we naar de buren.'

Ze sluipen door de tuin terug naar de waterkant en fietsen met een kleine omweg naar het Sylspaed terug.

Jurre stelt voor om Brechts telefoon nog eens over te laten gaan. 'Misschien neemt iemand op.'

Brecht heeft er weinig vertrouwen in.

'Is de accu bijna leeg? Weet je dat toevallig?'

'Die had ik net opgeladen.'

Zwijgend haalt Jurre zijn telefoon tevoorschijn. Hij loopt over het pad richting de boerderij.

Brecht volgt met tegenzin.

Op een afstand van twintig meter aan de voorzijde van de boerderij stellen ze zich verdekt op. Jurre belt Brechts nummer. Een paar seconden luisteren ze ingespannen.

'Yes.' Jurre gebaart naar de boerderij. 'De telefoon gaat over. Hij is nog binnen. Wat nu?'

'We bellen aan,' besluit Brecht met tegenzin.

Terwijl ze naar de voordeur van de boerderij lopen, schakelt Brechts telefoon over naar de voicemail.

'Vreemd dat de telefoon nog steeds in die kamer boven ligt. Iemand heeft hem gebruikt.' Brecht tuurt onafgebroken naar de kier tussen de luiken. Zou er iemand boven in die kamer zijn? Met bonkend hart staat ze naast Jurre wanneer hij de bel indrukt.

De stilte in het huis is oorverdovend.

'Niemand,' constateert Jurre na drie pogingen.

'Er is wel iemand. Ik voel het.'

'Het raampje van de badkamer staat nog op een kier.'

'Je krijgt mij niet mee naar binnen. We gaan weg.'

'Ik wil naar de buren,' zegt Jurre.

Een paar minuten later staan ze oog in oog met de buurman, meneer Vossenberg, die hen na enig aarzelen vraagt om binnen te komen.

Hortend en stotend vertellen de Brecht en Jurre wat er precies is gebeurd.

Meneer Vossenberg begrijpt waarom ze door het raampje zijn geklommen, maar waarschuwt dat soort dingen nooit meer te doen.

'De eigenaar heeft ons ingelicht. We wisten dat er gasten zouden komen die twee nachten zouden blijven. Wij zagen in eerste instantie niemand. Totdat mijn vrouw afgelopen nacht een busje het erf op zag rijden.'

'Na een half uur reed het weer weg,' gaat mevrouw Vossenberg verder. 'Ik dacht dat de gasten waren gearriveerd. Maar het bleef donker in het huis. Waarschijnlijk is er niemand.'

'Er zijn mensen in dat huis,' verzekert Brecht hen. 'In ieder geval één. Want er is met mijn telefoon gebeld.'

'Dat is merkwaardig,' mompelt Vossenberg. 'De eigenaar heeft verteld dat er mensen zouden slapen die op doorreis waren. Twee dagen en nachten zou er gebruik van het huis gemaakt worden.'

'We hebben er geen goed gevoel bij,' zegt mevrouw Vossenberg.

'De eigenaar is op de hoogte. Het is zijn verantwoordelijkheid.' Meneer Vossenberg kijkt de kinderen strak aan. 'Ik wil jullie een goede raad geven.'

'En die is?' probeert Brecht luchtig.

'Bemoei je er niet mee.'

Hoofdstuk II

NOODKREET?

'Hij heeft gelijk,' zegt Brecht. 'Het is beter dat we ons nergens mee bemoeien.'

Het tweetal staat op de stoep onder een lantaarnpaal met elkaar te praten.

Jurre staart omhoog naar de inktzwarte lucht en ziet hoe het dikke wolkendek langzaam door de wind naar het westen wordt verdreven. Her en der worden sterren aan de hemel zichtbaar. 'Waarom vertrouwen de buren het niet?'

'Wat bedoel je?'

'Er moet een reden zijn waarom ze ons waarschuwen. Denk je dat ze meer weten?'

Brecht haalt haar schouders op. 'Je verwacht dat mensen die een vakantiewoning huren er ook gaan logeren.'

'Ze zijn er wel geweest,' mompelt Jurre bedachtzaam.

'Ja, een half uur.'

'Zes mensen,' zegt Jurre zacht. 'Volgens de voetafdrukken die we gezien hebben.'

'Het is en blijft raadselachtig.'

Er valt een korte stilte.

Dan herinnert Brecht zich iets. 'Toen we aan het eten waren werd er twee keer naar ons huis gebeld. Mijn moeder en zus hebben allebei een keer opgenomen en begrepen niet wie er aan de lijn was. Een vreemde fluisterstem… Van een meisje.'

'Misschien gebruikte de beller jouw mobiele telefoon.'

'Dat zou zomaar kunnen,' knikt ze instemmend. Daar had

ze zelf ook al aan gedacht. 'Het nummer van ons huis staat in mijn bestand.'

'Waarom noemde ze haar naam niet?'

'Wist ik dat maar.'

'Ik snap er helemaal niets van,' zucht Jurre. Hij trekt het voorwiel van zijn fiets omhoog en laat het met een klap op de stoep stuiteren.

De verlichte torenklok van de kerk wijst halfnegen aan.

'Ik moet naar huis,' kondigt Brecht aan.

'Ooit wordt het mysterie ontrafeld.'

'Ik denk het niet.'

'Heb je geen voorgevoel?'

Brecht denkt na. 'Ja, eigenlijk wel. Ik krijg mijn telefoon terug.'

'Ja?'

'Ja!'

Jurre is verbaasd. 'Dan zul je terug naar de boerderij moeten.'

'Aan m'n hoela! Als ik aan het huis denk, kruipt het kippenvel over mijn armen. Ik wil liever aan andere dingen denken.'

'Morgen naar de ijsbaan.' Jurre wrijft zijn handen warm. 'Ik heb wel zin in schaatsen.'

'Ik ook.'

'Gaat het hard waaien?'

'Hoe harder de wind, hoe beter dat voor onze conditie is.'

Ze nemen afscheid en gaan elk een andere kant op.

Wanneer Brecht langs de zijkant van haar huis fietst, hoort ze geschreeuw. Ze luistert aandachtig. Iemand roept haar naam!

'Brecht! Brecht!'

Ze fietst snel de tuin in voordat ze achterom durft te kijken. Met een ruk trekt ze de schuurdeur open, duwt haar fiets naar binnen en slaat de deur achter zich dicht.

'Brecht! Kom eens.'

De stem is nu heel dichtbij.

'Wie is daar?'

'Ik! Jurre.'

Nu ziet Brecht hem staan, vlak bij het hek.

'Jemig, je laat me schrikken. Wat is er?'

'Dit geloof je niet' roept hij opgewonden. Hij laat zijn fiets tegen het hek vallen. 'Ik heb een sms'je dat via jouw telefoon verstuurd is.'

Nieuwsgierig loopt ze hem tegemoet.

Jurre geeft haar de telefoon.

I need help.
Please, help me!

'Please, help me,' leest Brecht hardop. 'Een noodkreet?'

'Ik denk het wel.'

'Welnee! Dit is een grap.' Brecht lacht onzeker. 'Dat moet wel.'

'En als het nu eens geen grap is?'

'Een ontvoering?'

'Is er gisteren iemand ontvoerd? Heb je het nieuws gevolgd?'

Brecht schudt haar hoofd. 'Dat kunnen we uitzoeken via internet.'

'Stel dat er iemand in dat huis opgesloten zit.'

'Dat vind ik moeilijk te geloven.' Brecht perst haar lippen op elkaar en staart naar het sms'je. Wat moet ze daar nu van denken?

'Zal ik bellen?'

'Stuur een sms'je terug.'

Jurre gaat met zijn rug tegen de muur staan. 'Zal ik terug-schrijven dat we hulp zullen sturen?'
'Zoiets.'
Jurre denkt na. 'Als we nu eens naar de politie gaan?'
'Denk je dat die ons serieus neemt?'
'Weet ik niet.' Jurre klakt met zijn tong.

We will help you soon!
Promise!

'Kan dit?'
Brecht leest de tekst en knikt goedkeurend. 'Ze kan een bericht terugsturen. Mijn beltegoed heb ik gisteren opge-waardeerd.'
Het tweetal staat buiten in de tuin te koukleumen. Brecht durft Jurre niet mee naar binnen te nemen. Het is al laat en haar ouders zullen om uitleg vragen.
Binnen een paar minuten komt er een bericht terug.
'Wat staat er?' vraagt Brecht.

Come quickly!
I have to leave.

'Kom snel. Ik moet weg,' vertaalt Jurre. 'Is dit een grap?'
Brecht slaakt een diepe zucht. 'Ik weet niet wat ik ervan moet denken.'
'Heb je een voorgevoel?'
'Het is geen grap.'
'Wat moeten we doen?' Jurre laat de telefoon in zijn zak glij-den. 'Terug naar de boerderij?'
'Wat wil je daar doen?' vraagt Brecht met een zucht.
'Uitzoeken wie de noodkreet heeft verstuurd.'

Hoofdstuk 12

TE LAAT!

Brecht kijkt door het raam naar binnen en ziet haar vader in zijn fauteuil zitten. Hij leest aandachtig de krant.

'Ik weet zeker dat ik niet weg mag.'

'Verzin een smoes.'

'Welke?' Brecht heft vragend haar armen omhoog.

'Zeg dat je je telefoon verloren hebt.'

Brecht trekt een grimas. 'Goed idee. Een betere smoes had ik niet kunnen bedenken. Ik ben zo terug.'

Jurre blijft met zijn handen in de zakken wachten en ziet Brecht de kamer binnenstormen. Haar vader schrikt zich wezenloos en de krant glijdt uit zijn handen. Jurre grinnikt hoofdschuddend.

'Ik mag nog even zoeken!' zegt ze als ze een paar minuten later met twee appels naar buiten komt. 'Mijn vader stelde voor om mee te gaan, maar ik zei dat er al iemand meehelpt met zoeken.'

Brecht ziet er vreselijk tegenop om weer naar de boerderij te gaan. Het ene moment denkt ze dat iemand hen in de maling wil nemen. Het andere moment overheerst een duister gevoel dat ze niet kan verklaren.

'Hoe is het met je vader?' vraagt Jurre als ze de straat uit fietsen. 'Je liet die arme man behoorlijk schrikken.'

'O, dat doe ik regelmatig,' glimlacht Brecht. 'Dat is tactiek. Als mijn vader leest is hij zo verdiept in de krant, dat hij niet luistert naar wat ik zeg. Dan jaag ik hem de stuipen op het lijf en heb meteen zijn aandacht. Dat werkt goed.'

'Je mag wel uitkijken. Je veroorzaakt nog een keer een hartverzakking bij hem.'

'Welnee! Hij is eraan gewend.'

Ze fietsen dwars door Woudega richting het Sylspaed.

Vlakbij het plein staat een politiewagen midden op de weg. Twee agenten hebben een paar jongens op scooters aangehouden. Jurre en Brecht schenken er geen aandacht aan. Vanuit haar ooghoek ziet Brecht een witte bestelbus aan de overkant in een straat staan. De motor draait stationair, maar de lichten zijn uit.

'Zat er iemand achter het stuur?' vraagt Brecht.

Jurre kijkt snel over zijn schouder. 'Ik zie niks.'

'Wat een vreemde plek om je auto neer te zetten.'

'Je mag er niet parkeren,' weet Jurre.

'Misschien heeft hij pech,' oppert Brecht.

Even later staan ze bij het hek tussen de tuin en de waterkant.

Brechts hart bonkt in haar keel.

'Ben je bang?' fluistert Jurre.

'Een beetje. Jij?'

'Wat kan ons gebeuren?'

'Van alles,' giechelt Brecht zenuwachtig. 'Misschien wil de buurman met ons mee naar binnen?'

'Hij heeft ons gewaarschuwd.'

'We kunnen de sms'jes laten zien?'

'Denk je dat dat indruk op hem zal maken?'

'Misschien wil hij de politie bellen.'

Jurre trekt zijn muts over zijn oren en denkt na. Als hij zijn telefoon pakt, ziet hij dat er tien minuten geleden opnieuw een sms'je via Brechts telefoon verzonden is. 'Hé, ik heb niets gemerkt.'

It's too late.
Do not phone me.

'Wat betekent dat nu weer?'
'Dat we te laat zijn en haar niet moeten bellen,' zegt Jurre.
'Ja, dat snap ik. Maar wil ze wel of niet geholpen worden?'
'Natuurlijk wil ze geholpen worden!'
'Twijfel jij niet?'
'Een beetje.'
'Het is wel erg toevallig. Eerst krijgen we een sms'je waarin ze om hulp vraagt. En nu stuurt ze een bericht dat we te laat zijn en haar niet mogen bellen. Kun jij het nog volgen?'
'Niet echt.' Jurre kauwt op zijn onderlip. Hij sluipt op zijn tenen naar de zijkant van het huis om poolshoogte te nemen. Wanneer hij een paar meter van het raam is verwijderd, blijft hij staan en vloekt binnensmonds.
'Wat is er?' fluistert Brecht geschrokken.
'Het raam is dicht.' Jurre gebaart om naar het erf terug te lopen.
'Betekent dat dat ze weg zijn?' peinst Brecht.
'Zou het?' Jurre versnelt zijn pas. Hij schijnt met de zaklamp over de grond.
Brecht komt naast hem staan. Ze is doodsbang.
'Duidelijk,' mompelt hij na een tijdje. 'De auto is er weer geweest. Je ziet aan de voetafdrukken dat er mensen uit het huis naar de wagen zijn gelopen. Niet andersom.'
'Dat betekent dat er dus mensen in het huis waren. Dat voelde ik.'
'Je had gelijk,' knikt hij.
'Waarom zaten die mensen in het donker?'
'Wisten we dat maar. Dit klopt voor geen meter,' mompelt Jurre.

'Bellen?'
'Ben je gek. In het sms'je stond dat we dat niet moesten doen.'
Brecht draait zich om en loopt terug naar de waterkant.
'Ik kan een sms'je sturen en vragen waar ze is.'
'Doe maar.'
'Let jij op?' vraagt Jurre.
Brecht knikt en krijgt de zaklamp in haar handen geduwd.
'Niet schijnen,' waarschuwt hij. 'Alleen als er iemand aan komt.'
Jurre richt zijn aandacht op de telefoon.

Where are you?
How can we help?

'Waar ben je? Hoe kunnen we je helpen?' leest Jurre in het Nederlands voor. Hij laat het Brecht lezen en als ze instemmend knikt verstuurt hij het bericht.
'Nu maar afwachten.'
Jurre propt de zaklamp in een jaszak en blaast in zijn handen.
Het wordt steeds kouder. Het licht uit de keuken van het buurhuis waaiert uit over de tuin. Plotseling grijpt Jurre Brecht bij de arm. Ze draait zich met een ruk om. In het donker kan ze zijn gezicht niet zien. Wat zou er aan de hand zijn? Ze staat roerloos naast Jurre en durft niets te vragen.
Minuten gaan voorbij.
'Loop maar,' fluistert Jurre uiteindelijk en duwt haar richting het pad.
Brecht probeert zo weinig mogelijk geluid te maken. Haar handen trillen. Als ze bij de rietkraag is, kijkt ze eenmaal achterom. Jurre staat achter haar. Ze stapt op haar fiets en

zonder zich nog ergens om te bekommeren, spurt ze weg.
Pas als ze bij het kruispunt is, haalt Jurre haar in.
'Er stond iemand aan de andere kant van de heg,' hijgt hij.
'De buurman?'
'Ik hoorde voetstappen. Volgens mij was het inderdaad de buurman.'
'Hij heeft onraad geroken. Zou hij ons gezien hebben?'
'Hij stond doodstil achter de heg naar de boerderij te kijken.
Ik ga ervan uit dat hij ons niet gezien heeft.'
'We gaan naar huis,' zucht Brecht.

Hoofdstuk 13

DE KEUZE

Miruna zit op het toilet als ze de bestelbus zachtjes langs het huis hoort rijden.

'Nu al,' fluistert ze verbijsterd. Ze werpt een snelle blik op haar horloge.

De motor wordt afgezet.

Ze glipt de hal in en haast zich naar beneden. De vochtige kou komt haar tegemoet zodra ze de deur opent. 'Hij is er,' zegt ze.

'Eindelijk.' Jennica draait zich vermoeid om en ritst de slaapzak open.

'Je bent ziek,' zegt Miruna.

'Ik heb een beetje kou gevat. Straks krijgen we een warmere kamer. Dat heeft hij beloofd.'

'Volgens mij heb jij medicijnen nodig.'

'Zou ik die krijgen?' vraagt Jennica. Haar stem klinkt zwak.

'Je kunt het proberen.'

'Zinloos,' klinkt het vanuit de andere hoek. Bogna zit in kleermakerszit op de matras. Ze grist een paar kledingstukken bij elkaar en propt die in haar grote rugzak. 'Hij zorgt niet voor medicijnen Dat weet ik nu al.'

'Probeer het,' dringt Miruna aan.

'Alleen als die vrouw er is…' fluistert Jennica.

'Zal ík het vragen?'

'Jij werkt hem op zijn zenuwen,' waarschuwt Bogna. 'Hij vindt jou te brutaal.'

'Nou en?'

Het vlammetje van de kaars werpt vreemde schaduwen op de witgekalkte keldermuren.

'Jij stookt de boel op,' voegt Ruxana eraan toe.

Miruna lacht schril. 'Waarom zijn jullie bang? Als we willen kunnen we hier weg.'

Ruxana staat op. 'Je weet wat ik doe,' dreigt ze.

'Verraad mij maar,' antwoordt Miruna onverschillig. 'Jullie zijn ongelooflijk stom. Er zijn kansen...'

'We moeten geduld hebben,' zegt Bogna rustig.

'Die man is niet te vertrouwen,' fluistert Miruna met hese stem.

Er valt een gespannen stilte.

Ze horen hem naar de badkamer lopen. Hij sluit het raam.

'Hij is alleen,' constateert Jennica teleurgesteld.

Hij opent de kelderdeur. De traptreden kraken onder zijn gewicht.

'Zal ik hem vragen...?'

'Nee,' Jennica schudt paniekerig haar hoofd. 'Ik doe het wanneer zij erbij is.'

Met een grote zaklamp schijnt hij één voor één in het gezicht van de meisjes. 'We gaan,' kondigt hij in het Engels aan. Meestal praat hij een mengelmoes van Nederlands en Engels. 'Pak je spullen.'

'Waar gaan we heen?' waagt Miruna te vragen.

Het blijft stil.

Ze hoort de raspende ademhaling van de man dichterbij komen. Snel pakt Miruna haar spullen.

Waar is Beertje? Ze tast met haar handen over de ruwe vloer tussen en onder de matrassen.

Zou Beertje in de opgerolde slaapzak zitten? Ze strijkt over de matras. Geen Beertje.

Ze heeft Beertje gekregen bij het afscheid van oma. Die had

het van haar laatste geld gekocht. Oma zei dat het beertje belangrijk voor haar zou zijn.

Jennica hoest.

'Ze moet naar de dokter,' zegt Miruna in haar beste Engels. 'Ze is ziek en heeft medicijnen nodig.'

Hij torent hoog boven Miruna uit. 'Money, money!' antwoordt hij spottend en wrijft met zijn duim en wijsvinger langs elkaar. 'You pay?'

Klootzak, denkt Miruna. Dat de andere meisjes zwijgen, maakt haar nog bozer. Angst heeft hen in de macht. Die meiden zoeken het maar uit. Ze wil niet afhankelijk zijn van hen. Ze heeft met Jennica te doen, maar ze moet nu voor zichzelf opkomen. Miruna heeft voor zichzelf gekozen. Dit is haar laatste reis met de bestelbus.

Hoofdstuk 14

IJSTRAINING

De volgende dag verzamelen de IJsblinkers zich op het pleintje. De temperatuur is net iets boven nul, maar de winterzon schijnt en de lucht is stralend blauw.

'Ideaal schaatsweer!' vindt Douwe.

'Ik ben blij dat we in een hal schaatsen!' antwoordt Lela klappertandend.

'Watje!' roept Romke. 'Vanochtend hoorde ik de weerman op de radio. Hij zei dat als de wind uit het oosten blijft waaien de kans op nachtvorst groot is.'

'Dus?' Steven trekt een onnozel gezicht.

'Het lijkt me gaaf om op het Blinkermeer te kunnen schaatsen!'

'Mij ook,' knikt Douwe enthousiast.

'Dan verkopen we warme chocolademelk in ons clubhuis!' fantaseert Berber. 'Of we zetten een kraam op het ijs.'

'Ons clubhuis,' schampert Steven. 'We weten niet eens van wie het is.'

'We zouden schaatswedstrijden kunnen organiseren!' roept Douwe enthousiast. 'Schaatswedstrijden op natuurijs zijn leuker dan op een overdekte ijsbaan.'

Berber werpt een afkeurende blik in zijn richting. 'Natuurijs is niet vlak en er zitten vaak scheuren in.'

'Dat maakt het juist leuker!'

'Geef mij maar een overdekte hal waar je geen last hebt van de koude, snijdende wind die dwars door je kleren waait,' zegt Lela.

'Je zou naar de verhalen van mijn "oerpake" en "oerbeppe", mijn overgrootvader en overgrootmoeder, moeten luisteren. Ze zijn allebei in Friesland geboren. Mensen liepen vroeger enorme afstanden als ze ergens heen moesten. De meeste mensen hadden geen fiets. Er waren weinig verharde wegen, maar er was wel veel water. De mensen genoten wanneer de winters streng waren. Dan konden ze op de schaatsen of met de arreslee prachtige uitstapjes maken.'

'Ja, vroeger,' knikt Romke. 'Toen was alles beter.'

De jongens lachen.

Brecht maakt een vragend gebaar naar Jurre die aan de andere kant van het groepje staat. 'Nog geen bericht? Zou er iets gebeurd zijn?'

'Daar lijkt het wel op.'

'Niet smoezen in gezelschap,' plaagt Berber. 'Of hebben jullie het over de verdwenen telefoon?'

Jurre knikt.

De anderen weten wat er is gebeurd. Niemand begrijpt wat er zich op de boerderij afspeelt. Het is en blijft geheimzinnig.

'Ik maak me ongerust,' zegt Brecht. 'Stel je voor dat het meisje dringend hulp nodig heeft.'

'Wat kunnen we doen?' vraagt Douwe zich af. 'Je weet niet om wie het gaat en waar die persoon zit.'

'Het heeft met die boerderij te maken. Daar lag mijn telefoon die nu door iemand gebruikt wordt om sms'jes te versturen.'

'Weet je zeker dat er niemand in het huis is?' vraagt Lela.

'We weten niets zeker,' antwoordt Jurre. 'We hebben sporen gezien. Alles wijst er op dat ze zijn vertrokken.'

'Ik denk dat het allemaal wel meevalt,' zegt Berber nuchter. 'Ze heeft een telefoon en kan dus 112 bellen. De politie had al bij haar kunnen zijn.'

Brecht wisselt een blik van verstandhouding met Jurre. 'Ze komt waarschijnlijk uit het buitenland en kent het alarmnummer van Nederland niet.'

'Heb je dat niet in je telefoon geprogrammeerd?' vraagt Berber.

'Nee, natuurlijk niet, want dat nummer kan ik wel onthouden. Dat ken ik uit mijn hoofd.'

'Waarschijnlijk zie je jouw telefoon nooit meer terug,' zegt Lela weinig hoopvol.

'Pessimist,' moppert Brecht. 'Ik denk dat ik hem weer terugkrijg. Voorgevoel...'

'Als je geld wilt verdienen, weet ik nog wel wat,' oppert Steven. 'Mijn buurjongen stopt binnenkort met z'n krantenwijk. Dus als jij interesse hebt, kan ik je naam wel noemen.'

'Ik heb geen tijd voor dat soort dingen,' lacht Brecht.

Douwe stelt voor om nu snel naar Brekkenveen te gaan. Hij wil schaatsen! Samen met Steven fietst hij voorop. Jurre, Lela, Berber, Romke en Brecht kunnen het tweetal met moeite bijhouden.

Iets na vijven zitten ze vrolijk pratend op een bank aan de rand van de ijsbaan. Het is minder druk dan ze hadden verwacht. Het schaatsseizoen moet eigenlijk nog beginnen. Doorgewinterde schaatsers trainen natuurlijk wel. Zodra het gaat vriezen, wordt het drukker op de ijsbaan. Dan krijgt iedereen last van schaatskriebels en komen er vaak ouders met kinderen die het schaatsen nog moeten leren.

In het middengedeelte van de hal krijgt een groep kinderen les in kunstrijden. Brecht kijkt er met verwondering na. Het is een kunst apart.

'Wie gaat er mee?' Douwe staat klaar met zijn handen in de zij.

'Ik heb mijn schaatsen nog niet aan,' mompelt Romke.

'Daar wacht ik niet op! Ik schaats alvast een rondje!' Douwe gaat achter drie mannen aan die in een behoorlijk tempo voorbij schaatsen.

'Uitslover!' brult Lela hem na.

'Tom van Zwinderen zegt dat Douwe sneller wil dan hij eigenlijk kan. Daardoor struikelt hij soms over zijn eigen schaatsen,' vertelt Brecht met een deftige stem.

Tom van Zwinderen verstopte ooit zijn oude schaatsen op de zolder van de 'eilandschuur'. Daar had hij een speciale reden voor [lees IJsblinkers deel 1: IJsvleugels] Hij was perplex toen Jurre een paar weken geleden opeens met zijn oude schaatsen bij hem op de stoep stond. Toen hij hoorde dat Jurre zijn eerste wedstrijd op de oude schaatsen wilde rijden, besloot Van Zwinderen samen met zijn vrouw naar de wedstrijd te komen kijken! Jurres ouders konden wegens een afspraak niet komen.

Van Zwinderen en zijn vrouw waren supertrots op Jurre die in zijn serie de eerste prijs won. Sinds die tijd voelt Van Zwinderen zich betrokken bij Jurre en de rest van de IJsblinkers. Hij heeft beloofd om regelmatig naar de ijshal te komen om hen te zien schaatsen.

'Hebben jullie dat affiche bij de ingang gezien?' vraagt Jurre. 'Over die onderlinge wedstrijden van de Brekkenveense Schaatsclub. Is dat iets voor ons?'

'We zitten niet bij die club!' roept Brecht vanaf een ander bankje.

'We kunnen toch lid worden!' Romke kijkt het kringetje rond.

'Ik wil liever ons eigen clubje houden,' antwoordt Brecht.

'Dat kan toch?'

Als ze zich aansluiten bij een officiële club kunnen ze trainingen volgen van een gediplomeerde trainer, waardoor ze beter leren schaatsen. Jurre ziet dat als een groot voordeel en daarin moeten ze hem gelijk geven.

'We denken er een nachtje over na,' lacht Brecht.

Douwe heeft alweer een rondje geschaatst en komt zwaaiend langs.

'Ik ga achter hem aan,' roept Brecht, maar ze staat te snel op, waardoor haar rechtervoet wegglijdt en ze op haar buik meters naar voren glijdt, recht op een man af in een blauw trainingspak. Hij ziet haar aankomen, maar heeft geen tijd meer om opzij te gaan. Hij spreidt zijn benen, zodat Brecht er tussendoor glijdt. De IJsblinkers op de bank liggen in een deuk.

Brecht heeft zere ellebogen en een rode kleur van schaamte.

'Hoelang duurt een rondje?' vraagt Berber later.

'Erg lang,' grinnikt Lela. 'Vooral wanneer je de afstand glijdend op je buik aflegt.'

'De lange baan is vierhonderd meter,' weet Steven te melden.

'We gaan gewoon schaatsen!' roept Romke. 'Ieder in zijn eigen tempo.'

Na een half uur lassen ze een pauze in. Ze hebben allemaal last van hun enkels.

'Dat hoort er nu eenmaal bij,' zegt Jurre. 'We moeten vaker trainen.'

Na een korte pauze schaatsen ze nog een paar rondjes en oefenen het starten. Het is moeilijk om vanuit een stilstaande positie snel weg te sprinten.

Lela stelt voor om een paar wedstrijdjes te doen. 'Ik ben de starter,' grijnst ze slim.

Douwe en Jurre schaatsen als eersten tegen elkaar. Douwe wint met een halve meter voorsprong.

Ze schaatsen net zo lang tot iedereen een keer gewonnen heeft.

Voordat ze terug naar Woudega fietsen, eten ze hun meegebrachte boterhammen op in de kantine. Daarna fietsen richting Woudega.

'Auto!' waarschuwt Jurre als een auto hen tegemoet komt rijden. Ze zijn twee kilometer van Woudega verwijderd. Ze fietsen achter elkaar om ruimte te maken, maar de auto remt op het laatste moment af. De chauffeur draait een betonpad op en gaat naar een boerderij.

Nietsvermoedend kijkt Brecht de rode achterlichten na. Wanneer de auto langs een buitenlamp rijdt, vangt ze een glimp van de auto op. Ze krijgt een wee gevoel in haar maag; alsof er iets is wat haar ontgaat. Maar wat?

Hoofdstuk 15

NOG IETS

De IJsblinkers staan met z'n allen bij een lantaarnpaal op het pleintje van Woudega te praten.

'Wat doen we woensdagmiddag, schaatsen of conditietraining?' vraagt Douwe.

'Jij wilt niets anders dan schaatsen,' giechelt Lela.

'Het is beter dan op school zitten,' vindt Douwe.

'Dat is het zeker,' beaamt Brecht.

'Nou, wat doen we? Morgen naar de ijsbaan?' Jurre kijkt het kringetje rond.

'Ik wil niet elke dag met schaatsen bezig zijn,' vertelt Lela.

'Morgenmiddag hebben de basisscholen 's middags vrij. Dan is het sowieso drukker op de ijsbaan,' merkt Steven op.

'Dan gaan we naar het eiland voor een conditietraining,' beslist Douwe.

Niemand reageert.

'Of in het park?'

'Ik kan niet,' mompelt Berber.

'Ik heb iets anders te doen,' zegt Romke.

Douwe vindt het niet erg. 'Ik ga wél trainen. Wie zich bedenkt kan me bereiken via mijn mobiele telefoon.'

'Welterusten!' brullen Lela en Berber als ze achter elkaar in een smal steegje verdwijnen.

Brecht en Jurre blijven met z'n tweeën achter.

'Ik moet steeds aan dat meisje denken.'

Jurre knikt. 'Ik heb het gevoel dat we in een complot zijn terechtgekomen, zonder te weten waar het om gaat.' Hij haalt zijn telefoon uit zijn zak. Er is geen nieuw bericht. Hij zucht. 'Nu twijfel ik weer en denk ik dat iemand een grap met ons uithaalt.'

'Het is raar dat we niets meer van haar horen.'

'Zou het foute boel zijn?'

'Kunnen we niet iets doen?'

'Het enige wat ik kan bedenken, is naar de boerderij gaan en de woning doorzoeken.'

'Dat zou ik maar niet op eigen houtje doen.'

'Zouden we de politie zo ver kunnen krijgen dat ze gaat kijken?'

Brecht trekt haar sjaal over haar neus. Ze heeft het koud. 'Dat zenuwachtige gevoel blijft door mijn lijf spoken. Dat betekent dat iets of iemand mij probeert te waarschuwen.'

'Ik hoop dat het meisje snel weer een bericht stuurt. Dan kunnen we misschien iets voor haar doen.' Jurre zwaait zijn been over de bagagedrager en zet zijn kraag op. 'Zit je vanavond achter de computer?'

'Eventjes.'

'Misschien mail ik nog.'

'Bre-hecht!' Er rinkelt een fietsbel. 'Joehoe!'

Brecht kijkt verbaasd om. 'Froukje,' mompelt ze. 'Mijn zus. Ze is naar een vriendin geweest.'

'Tot morgen!' groet Jurre snel.

Brecht vindt het niet leuk dat Froukje haar met Jurre ziet.

'Wat een leuke gozer,' zegt Froukje, zo hard dat Jurre het nog kan horen. 'Je bent wel vaak bij hem.'

'Wat weet jij daar nou van!' snauwt Brecht. 'We zitten toevallig bij dezelfde schaatsclub.'

'Koude liefde.'

'Wat?'

'IJsliefde.' Froukje grinnikt. 'Prille liefde op het ijs.'

'Stel je niet aan.'
'Wat hebben jullie met elkaar?'
'Niets.'
'Je vindt hem aardig.'
'Hij is ook aardig.'
'Je bent nog jong.'
'Daarom.'
'Als je advies nodig hebt…'
'Advies?' Brecht kijkt haar zus spottend aan.
'Over de liefde!' grinnikt Froukje. 'Heb je vragen?'
'Als ik ze al zou hebben, zal ik ze zeker niet aan jou stellen,' lacht Brecht.
'Toen ik elf was vroeg ik me af waarom verliefde mensen elkaar steeds willen aanraken en zoenen. Daar begreep ik helemaal niets van.'
'Nu ben je vijftien. Heb je nog steeds vragen?'
'Nog meer dan vroeger. Hoe kom je bijvoorbeeld van die akelige jaloeziegevoelens af? Als je verkering hebt en je vriendje besteedt aandacht aan een ander meisje, dan is de liefde opeens niet meer leuk. Dan ben je bang dat je hem kwijtraakt.'
'Vreselijk,' zucht Brecht. 'Ik hoop dat ik nooit verliefd word.'
'Volgens mij ben je het al.'
'Nee.'
'Zeker weten?'
'Honderd procent.'
'Er zijn speciale beginnerscursussen. Wist je dat?'
'Zoals?'
'De basiscursus voor "beginners in de liefde" gaat over hoe je moet flirten. Daar werk je aan de lichaamstaal en leer je om de ander te laten merken wat je van hem vindt, zonder

woorden te gebruiken.'

'Die cursus heb jij zeker gevolgd.'

'Ik begin altijd te stotteren zodra het onderwerp van mijn verlangens in de buurt is. Zodra ik mijn mond opendoe, zeg ik de verkeerde dingen.'

'Lukt het daarom niet om een vriendje te bemachtigen?'

'Het lukt wel. Maar het is steeds de verkeerde.'

'De prins op het witte paard bestaat niet, hè?'

Lachend stappen de meisjes even later hun huis binnen.

Brecht haalt haar schaatsen uit de tas, gooit haar jas op een stoel en drukt haar handen tegen de warme radiator. 'Brr, het is buiten echt koud.'

Fenna komt vrolijk de kamer binnen. De kleurige zijden rok zwiert om haar benen. 'Warme chocolademelk?' vraagt ze.

'Mmm, heerlijk.'

Binnen vijf minuten zitten ze met z'n viertjes te genieten van chocolademelk met slagroom.

Fonger wil weten hoe het schaatsen ging.

'Leuk, maar mijn enkels doen nu pijn.'

'Die spierpijn wordt vanzelf minder als de spieren voldoende getraind zijn.'

'Niet gevallen?' vraagt Fenna terloops.

Gierend van het lachen vertelt Brecht dat ze een sensationele buikschuiver heeft gemaakt. Als ze het voordoet, komen de anderen bijna niet meer bij.

'Ik ga een keer mee,' belooft Fonger.

De telefoon gaat.

Fonger neemt op. 'Voor jou,' zegt hij geheimzinnig. 'Jurre.'

Brecht grist de telefoon uit zijn handen en loopt snel naar de gang.

'Zie je wel!' roept Froukje. 'Smoor!'

'Heb je nieuws?' vraagt Brecht gespannen.

'Een minuut geleden kwam er een sms'je binnen.' Jurre klinkt opgewonden. 'Luister: "They brought us away. Not far from other place. I will try to escape. Need a hiding place". Wat denk je daarvan?'

'Zeg het nog eens?'

'Ze hebben ons weggebracht naar een andere plaats. Niet ver van die andere plek. Ik wil proberen te ontsnappen en heb een schuilplaats nodig.'

'Wat nu? Zij weet niet waar ze is, anders zou ze ons een adres geven.'

'Zou ze ontvoerd zijn?'

'We moeten met dit verhaal naar de politie gaan.'

'Ik stuur een sms'je met het alarmnummer!' besluit Jurre. 'Het enige aanknopingspunt is die boerderij aan het Sylspaed.'

'Misschien heb je gelijk. Maar volgens mij is er nog iets...' mompelt Brecht.

Hoofdstuk 16

EEN AANWIJZING

De volgende ochtend staat Brecht met hoofdpijn op en voelt ze zich allesbehalve uitgerust. Ze heeft de halve nacht liggen malen en zich afgevraagd welke belangrijke aanwijzing ze over het hoofd heeft gezien. Wie en waar is het meisje dat op een merkwaardige manier contact probeert te zoeken? Wordt ze bedreigd? Is ze ontvoerd? Of is het iemand die dit alles voor de grap in scène heeft gezet?

Brecht kan niet verklaren dat ze denkt iets te weten, zonder zich dat bewust te zijn.

'Voel je je niet lekker?' vraagt Fenna.

Brecht ploft aan de andere kant van de tafel op een stoel. 'Slecht geslapen.'

Froukje duwt de keukendeur open en blijft in haar roze flanellen pyjama op de drempel staan. Ze rekt zich geeuwend uit. 'Ik hoop niet dat je BVS hebt.'

Fenna trekt een verbaasd gezicht. 'Wat is dat?'

'Een ziekte.'

'Heerst er een griepvirus?' Fenna merkt niet dat haar oudste dochter een grapje maakt.

Froukje gaat zitten en kijkt met een blik vol medelijden naar haar zusje.

'Wat is er?' snuift Brecht.

'BVS! Als de dokter deze diagnose stelt, heb jij een probleem. Het duurt lang voordat je het kwijt bent.'

'Wat is dat dan?' vraagt Fenna. 'Ik heb er nog nooit van gehoord.'

'Het buikvlinderssyndroom.'
Brecht opent haar mond om een kattige opmerking te maken, maar haar moeder is haar voor.
'Heb je last van diarree?'
Froukje en Brecht kijken haar aan. 'Wat? Diarree?' roepen ze tegelijk.
'Heb ik iets verkeerds gezegd?' vraagt Fenna zich verwonderd af.
De meisjes schieten in de lach.
'Het buikvlinderssyndroom,' hikt Froukje en wijst naar haar voorhoofd. 'Mam, dat heeft niets met diarree te maken!' Met tranen in haar ogen legt ze uit dat wanneer iemand last van buikvlinders heeft, diegene verliefd is.
Fenna moet vreselijk lachen om haar eigen onnozelheid. 'Ik legde de link niet.'
'Zal ik thuisblijven?' vraagt Brecht aarzelend.
Froukje zwaait met haar wijsvinger door de lucht. 'Vanochtend niet naar school, dan vanmiddag ook thuisblijven!'
'Bemoei je met je eigen zaken.'
'Froukje heeft wel gelijk,' knikt Fenna plagend. Dan vraagt ze hoe het met de telefoon van Brecht zit. 'Die kun je wel op je buik schrijven. Of hij is ingepikt of ligt onvindbaar onder de struiken.'
'Hij is gevonden,' biecht Brecht op en besluit dan te vertellen wat er werkelijk gebeurd is. Het enige dat ze niet vertelt is dat ze door het raam van de boerderij naar binnen is geklommen.
Fenna en Froukje luisteren zonder haar te onderbreken.
'Dan heeft zij waarschijnlijk een aantal nummers uit jouw telefoonbestand gebeld. Dus ook ons nummer thuis,' mompelt Fenna. 'Dan was zij het die ons, zonder haar naam te noemen, belde.'

'Ze spreekt geen Nederlands. Anders zou ze ons meer verteld hebben.'

'Griezelig,' vindt Froukje. 'Er moet iets gedaan worden.'

'Zou de politie iets met dit verhaal kunnen?'

'Dit moet zeker gemeld worden.'

'Kun je voelen hoe het met haar is?' vraagt Brecht.

Fenna kan vaak allerlei dingen 'in haar gedachten voelen'. Zo noemt ze dat zelf. Vanaf haar kleutertijd voorspelde ze soms de toekomst. Brecht wordt zich de laatste tijd bewust dat zij die gave ook heeft. Maar het is moeilijk om dat een plek te geven.

'Of ik kan voelen hoe het met haar is?' herhaalt Fenna langzaam. Ze legt haar handen op tafel, haalt diep adem en sluit haar ogen. 'Angst en vastberadenheid.'

Brecht knikt bevestigend. 'Dat voel ik ook. Krijg jij een beeld van een meisje?'

'Duisternis,' antwoordt Fenna in gedachten.

'Kun je zien waar ze is?'

Het blijft een paar seconden stil.

Fenna schudt haar hoofd.

'Wordt ze bedreigd?' vraagt Froukje.

Fenna maakt een weifelend gebaar. 'Ja en nee.'

'Zal ik Jurre vragen of hij vanmiddag met mij naar het politiebureau wil gaan?'

'Dat lijkt me verstandig.'

Froukje moet zich haasten om op tijd op school te zijn. Ze stuift naar boven om zich om te kleden. Fenna belt naar Brechts school om door te geven dat haar jongste dochter zich niet lekker voelt en thuisblijft.

'Ik ga nog even in bed liggen,' kondigt Brecht aan.

Slapen lukt niet, maar ze kan rustig nadenken en probeert alles op een rijtje te zetten.

Opeens, zonder enige aanleiding, gaan haar gedachten terug naar het moment dat ze gisteravond over de Rondweg van Brekkenveen terug naar Woudega fietsten. Jurre waarschuwde hen dat een auto hen tegemoet kwam. Brecht weet nog dat ze opzij keek, toen de auto over het erf reed. Er brandde een buitenlamp, waardoor ze een glimp van die auto opving.

Het was geen personenauto, maar een witte bestelbus! Brecht veert overeind. Nu weet ze wat er in haar onderbewuste sluimerde: die bestelbus heeft ze eerder gezien in een straatje vlakbij het Sylspaed!

Op de wekker ziet ze dat het elf uur is. Ze is toch in slaap gevallen. Vlug gooit ze het dekbed van zich af en springt onder de douche.

'Mam, ik ga naar Jurres school,' zegt ze. Ze maakt snel een lunchpakket. 'Ik neem boterhammen mee. Voor hem en voor mij.'

'Wat ga je doen?'

'Ik denk dat ik een aanwijzing heb en wil dat eerst checken voordat ik naar de politie ga.'

'Ik heb liever niet dat je...'

'Mam, ik loop niet in zeven sloten tegelijk. Ik ben snel weer thuis.'

Om tien voor twaalf staat Brecht ongeduldig voor Jurres school te wachten. Als hij als een van de laatsten naar buiten komt, reageert hij verbaasd.

'Is er iets gebeurd?'

'Ik heb een aanwijzing!' vertelt ze opgewonden. 'Herinner jij je nog dat de politie een paar jongens op scooters aanhield?' Jurre trekt een diep frons boven zijn neus. 'Vlakbij het pleintje.'

'Klopt! In de zijstraat stond een witte bestelbus met gedoofde lichten. De motor draaide stationair.'

'Ja...'

'Even later zagen we aan de sporen dat er een auto was geweest die mensen uit het huis heeft opgehaald.'

'Dat is onze conclusie. We hebben geen bewijzen.'

'Nee.' Brecht maakt een afwerend gebaar. 'Laat me even uitpraten. Ik denk dat die bestelbus daar stond te wachten omdat de chauffeur niet door de politie gezien wilde worden. Misschien vervoerde hij iemand die wordt vermist of door de politie wordt gezocht. Hij nam het zekere voor het onzekere.'

'Hoe kom je daarbij?'

'Gisteravond zag ik een glimp van de auto die in de buurt van Woudega afsloeg en naar een boerderij reed. Het was een witte bestelbus. Het kan toeval zijn, maar als je alles nog eens nagaat, is het geen toeval. In een bestelbus passen zes mensen. We hebben in totaal zes verschillende voetafdrukken gezien. In het sms'je schreef het meisje dat ze niet ver weg waren. Ze bedoelde misschien dat de afstand van Sylspaed naar de nieuwe logeerplek niet groot was.'

'Verroest!' Jurre klakt met zijn tong.

'Ik wil twee dingen voorstellen. Eerst een sms'je sturen en vragen of ze een klein knuffelbeertje heeft. Daarna wil ik op zoek naar de boerderij waar die witte bestelbus heen reed.'

Jurre laat het even op zich inwerken en verstuurt een sms'je in zijn beste Engels. Ondertussen eet hij een boterham die Brecht heeft meegebracht en belt zijn moeder om te zeggen dat hij niet thuiskomt.

Als ze Woudega uitfietsen, zien ze een witte bestelbus rijden. Maar hij is al te ver weg, waardoor ze de bestuurder en het kenteken niet goed kunnen zien.

'Shit!' Brecht baalt.

'Hoezo shit?' Jurre kijkt haar grijnzend aan. 'Dit is juist goed.

Nu kunnen we waarschijnlijk ongestoord een bezoekje aan die boerderij brengen.'

'Dat is waar,' fluistert Brecht zenuwachtig.

Hoofdstuk 17

DE ONTDEKKING

'Weet jij nog welke boerderij het was?' vraagt Jurre. Samen met Brecht fietst hij over de oude Rondweg.

Brecht haalt haar schouders op. 'Het is hier in de buurt.' Ze wijst naar twee afgelegen boerderijen. 'Een van die twee moet het zijn.'

'Hoe komen we ongezien op het erf?'

'Via het pad. Een andere manier is er niet. Of lopen we dan te veel risico?'

Jurre stapt af. 'Ik heb geen idee met wat mensen we te maken hebben.'

'Hé, gaat jouw telefoon?'

Jurre laat de rugzak van zijn schouders glijden. 'Een sms'je.' Zenuwachtig haalt hij zijn telefoon tevoorschijn.

'Een bericht van mijn telefoon?' vraagt Brecht met ingehouden adem.

'Yes,' knikt Jurre opgewonden.

I think I lost my little teddy bear.
Please try to find me.
Be careful.

'Zie je wel,' mompelt Brecht. 'Ik heb háár knuffelbeertje.'

'Kunnen jullie straks ruilen,' grijnst Jurre.

'Waarom zegt ze niet wat er aan de hand is?' vraagt Brecht zich af. 'Dan begrijpen wij tenminste waarom ze hulp nodig heeft.'

'Ze vroeg om een schuilplaats.'

Brecht pakt Jurres telefoon en leest de tekst in het Nederlands voor. 'Ik denk dat ik mijn kleine teddybeer heb verloren. Probeer alsjeblieft mij te vinden. Wees voorzichtig!'

Jurre en Brecht kijken elkaar peinzend aan. 'We gaan naar de boerderij en doen alsof we denken dat daar iemand woont die wij kennen. We bellen aan en zien wel wat er gebeurt. We moeten iets te weten komen. Ontdekken we niets, dan gaan we naar de andere boerderij.'

Brecht bijt peinzend op haar onderlip. 'Oké.'

Jurre staart een paar tellen naar de grijze winterlucht. 'We zijn op zoek naar Tommy de Jager!'

'Wie is dat?'

'Weet ik veel! Ik bedenk maar wat. We kennen hem van de ijsbaan en denken dat hij hier woont. Als iemand opendoet, voeren we gewoon een toneelstukje op.'

'Afgesproken.' Brecht knikt. 'We moeten wel oppassen dat we geen fouten maken.'

Ze fietsen naar het pad van de dichtstbijzijnde boerderij.

Brecht tuurt aandachtig naar de berm en wijst Jurre op verse sporen van autobanden in de modder. 'Dit is de boerderij waar de witte bus gisteravond naartoe reed. Ik weet het bijna zeker.'

Jurre ziet de sporen. 'Oké,' fluistert hij gespannen. 'Let goed op wat je ziet en zeg geen verkeerde dingen.'

Zwijgend fietsen ze over het lange pad.

'Aan de zijkant van de boerderij zit een camera,' merkt Brecht op. 'We zijn vast al gesignaleerd.'

Jurres ogen schieten langs de gevel terwijl hij zijn sjaal een beetje voor zijn gezicht trekt. Al snel ziet hij ook de camera onder de dakgoot.

Ze stappen af en aarzelend lopen ze met de fiets aan de hand over het erf. Bij de zijdeur zien ze een deurbel.

'We doen net alsof we de deurbel niet zien en lopen door naar de achterkant,' fluistert Jurre.

'Oké.'

'Dit is geen boerenbedrijf,' stelt Jurre vast. 'Ik ruik geen vee, geen mest, geen ingekuild gras.'

Als ze langs een paar ruitjes van de deel lopen zien ze dat er binnen een paar felle lampen branden.

'Ik zie mensen,' zegt Brecht.

'Wat doen ze?'

Brecht kijkt weer opzij, maar durft niet te stoppen om goed door een rampje te gluren. Ze is bang dat er aan de achterkant van de boerderij ook camerabewaking is.

Dan komen ze bij een grote deur.

Jurre legt zijn hand op de klink, maar Brecht houdt hem tegen.

'Nee, wacht nog even.' Ze legt haar oor tegen de deur.

'Niet doen. Zo maken we ons verdacht,' sist Jurre.

'Luister eens naar dat geluid...'

Jurre drukt zijn oor tegen de deur. 'Dat heb ik vaker gehoord.'

'Waarom komt er niemand naar buiten?' Brechts stem trilt van spanning.

'Misschien heeft niemand door dat we er zijn. Als hier iets gebeurt dat het daglicht niet kan verdragen, dan zullen ze ons niet de kans geven om rond te kijken. Zullen we een sms'je sturen en vragen of ze naar buiten wil komen? We moeten zeker weten waar ze is.'

'Doe maar,' mompelt Brecht.

'Of zullen we verder kijken. De witte bestelbus kan straks weer terugkomen.'

'Verstuur nou eerst een sms'je...' commandeert Brecht. Ze

gebaart naar een oud tuinhuisje in de hoek van de verwaarloosde tuin. 'Dan wachten we zolang achter dat tuinhuisje.'

'Maar onze fietsen staan aan de voorkant.'

'Als ze ons betrappen zeggen we dat we op zoek zijn naar Fikkie, onze weggelopen hond.'

Jurre begint met het sms'je. 'Ik vraag of ze een teken wil geven, zodat wij weten of ze in de boerderij is waar wij nu zijn,' vertelt Jurre terwijl zijn vingers snel over de toetsen van zijn telefoon gaan.

Na vijf minuten tevergeefs wachten op een reactie, besluiten ze aan te bellen. Als ze langs de stalraampjes naar de zijdeur lopen, tuurt Jurre een paar seconden naar binnen. Onder een felle tl-balk zitten twee mensen met de rug naar hem toe. Hij kan niet zien wat ze doen. Jurre blijft niet lang voor het raam staan.

'Ik vind dit niet leuk meer,' zucht Brecht. 'Ik heb het gevoel dat we in een complot van criminelen verstrikt raken.'

'Wij hebben toch niets gedaan,' probeert Jurre haar gerust te stellen.

'Nee, maar we zijn wel iets op het spoor en als die criminelen dat ontdekken…'

Jurre belt aan, maar er wordt niet opengedaan. De tweede keer houdt hij de bel lang ingedrukt.

'De zenuwen gieren door mijn keel,' fluistert Brecht.

'Bij mij ook,' geeft Jurre toe. 'Als ik thuiskom, sluit ik me op in mijn kamer en ga tekenen. Dat is beter voor mijn nachtrust.'

Brecht glimlacht even.

'We gaan weg,' besluit Jurre.

Ze lopen snel naar hun fietsen en als ze over het pad naar de Rondweg rijden zien ze de witte bestelbus aankomen. Brecht krijgt het benauwd. 'Wat nu,' stamelt ze.

'Niets, gewoon doorfietsen en kijken wat hij doet,' zegt Jurre.
'Hij ziet dat we van de boerderij komen.'
De bestuurder van de bestelbus rijdt hard en remt pas op het laatste moment af. Hij schiet de berm in en gooit de deur open.
'Waar komen jullie vandaan?' vraagt hij nors. De man draagt een zwarte baseballcap en onder zijn neus prijkt een enorme hangsnor.
'We zoeken Tommy de Jager,' zegt Brecht snel. 'Die moet hier ergens wonen.'
'We hebben aangebeld, maar niemand deed open. Kent u Tommy de Jager?' vult Jurre haar aan.
'Die woont hier niet!' De man slaat de autodeur weer dicht en geeft gas.
'Wat een aardige, behulpzame man,' schampert Brecht.
Ze kijken de bestelbus na.
'Die vent kun je beter niet in het donker tegenkomen,' grapt Jurre.
'Vlug,' fluistert Brecht met hese stem, 'kijk eens naar de boerderij.' Verbijsterd staart ze naar de boerderij. Een raam is open en een meisje zwaait naar hen. Als ze ziet dat de twee kinderen haar gezien hebben, trekt ze het raam snel dicht en verdwijnt weer.
'Zag je dat?'
'Ja...' fluistert Jurre. 'Dat was vast dat meisje... Hier zit ze dus.'

Hoofdstuk 18

GEVAAR?

'Zullen we naar Woudega teruggaan?' Brecht klinkt gespannen. 'Ik vind dit maar niks. Wat doen we?'

'Teruggaan?'

'Nee,' zegt Brecht dan ineens. 'Ik moet weten wat er aan de hand is. Intuïtie.'

'Tja…' Jurre kijkt naar de boerderij.

'We kunnen ook alles aan de politie vertellen.'

'Wil dat meisje dat?'

'Weet ik veel wat zij wil,' reageert Brecht snibbig. 'Er moet iets gebeuren. En ik wil mijn telefoon terug.'

Jurre staart naar de boerderij en haalt zijn telefoon te voorschijn.

'Wat doe je?'

'Ik ga vragen of het goed is dat we de politie inlichten.'

'Nou, ik hoop dat ze snel reageert.' Brecht kruist haar armen voor haar borst. Ze heeft het koud gekregen van het stilstaan.

Jurre denkt even na hoe hij het berichtje het best kan formuleren. Hij kent best veel Engelse woorden. Al heel jong keek hij graag naar Engelstalige films en vanaf groep zeven heeft hij op school Engelse les gehad. Maar sms'en in het Engels is lastig. Je moet proberen met weinig woorden veel te zeggen.

Brecht is ongeduldig en schuift naar voren om over Jurres schouder mee te kunnen lezen.

'Zo goed?' Hij laat haar het sms'je lezen.

Important! Please give answer.
We will call the police.
Okay?

'Prima! Verstuur maar.'
Jurre verstuurt het sms'je nadat hij het nog eenmaal fluisterend heeft voorgelezen. 'Belangrijk. Geef alsjeblieft antwoord. We zullen de politie bellen. Goed?'
'Moeten we wachten op een reactie?' vraagt Brecht.
'Waarom niet?'
'Het kan zijn dat ze de telefoon heeft uitgezet, omdat de accu anders te snel leeg is. Het kan wel een uur duren voordat ze reageert. Wil je straks nog trainen?'
Jurre haalt weifelend zijn schouders op. 'Dat meisje rekent op onze hulp.'
Onverwachts gaat er een vlijmscherpe steek van jaloezie door Brecht heen als hij die laatste zin uitspreekt: dat meisje rekent op onze hulp...
Dat onbekende meisje in die boerderij is opeens belangrijker dan zij. Opeens voelt dat meisje voor Brecht als een rivale!
'Jij wilt dus blijven wachten,' constateert ze dreigend.
Jurre kijkt verbouwereerd opzij. 'Jij niet?'
'Ik ga naar Douwe.'
Jurre is perplex. Met samengeknepen ogen kijkt hij haar aan.
'Wat is er?'
'We zijn alleen maar met haar bezig. Daar baal ik van.'
'Maar het is toch een vreemde situatie?'
'Ik heb er geen zin meer in.'
'Oké.'
'Wat?'
'Ga maar met Douwe trainen.'
'Ga jij niet mee?'

'Nee, ik wacht hier.' Hij wendt zijn gezicht af en tuurt naar de boerderij.

Brecht kan wel door de grond zakken. Nu heeft ze het tegenovergestelde bereikt. Ze wil graag dat Jurre meegaat naar het eiland. Maar hij kiest voor dat onbekende meisje. Hij doet maar! Het is maar goed dat hij niets van haar gevoelens voor hem afweet.

Is ze werkelijk verliefd of is het alleen maar leuk en spannend om samen met Jurre bij de IJsblinkers te horen en in een mysterieuze zaak verwikkeld te zijn?

Brecht weet het allemaal niet meer. Ze wil niets voelen. Zeker niet van Jurre. Laat hij zich maar druk maken over dat meisje dat hen aan het lijntje houdt met onduidelijke sms'jes.

'Nog een boterham?' Brecht probeert de gespannen sfeer enigszins te herstellen.

'Nee, dank je.'

'Nou, dan ga ik.'

'Groeten aan Douwe.'

'Doe ik.' Brecht fietst langzaam weg en hoopt dat hij haar terugroept. Maar Jurre zwijgt in alle talen.

Als ze zo'n honderd meter van hem vandaan is, ziet ze hem aandachtig naar zijn telefoon kijken. Ze bedenkt zich geen seconde en draait om. 'Heb je een berichtje van haar?'

Jurre kijkt verstoord op. 'Helaas, weer een vaag antwoord. Ze zegt dat de politie niet gewaarschuwd mag worden. Later zal ze het uitleggen.'

'Later…' snuift Brecht. 'Waarom komt ze niet naar buiten? Waarom blijft ze in die boerderij?'

Jurre klemt zijn kaken op elkaar. Hij is teleurgesteld in Brecht en begrijpt niet waarom ze zo merkwaardig reageert. Alsof dat meisje er niet meer toe doet. Jurres telefoon geeft een signaal. Er is nog een sms'je binnengekomen.

'Alweer?'

Jurre staart naar het scherm.

'Wat schrijft ze?' vraagt Brecht kortaf.

'Op dit moment is ze veilig. Ze wil vanavond om acht uur uit de boerderij weggaan. Of we dan hier op haar willen wachten.'

Brechts mond zakt open. 'Wat betekent dit allemaal?'

'Ze wil 'm smeren.'

'Kan dat niet op een normale manier? Er zitten deuren en ramen in die boerderij.'

'Je mag mij wel vragen stellen, maar ik kan geen antwoorden geven.'

De sfeer tussen hen blijft wrevelig.

'Kun je hier om acht uur zijn?' vraagt hij.

'Hoe wil je dat doen? Haar meenemen op de fiets?'

'Misschien kunnen we een auto regelen?'

'Ik vraag mijn ouders wel. Nu kun je niets doen. Ga je mee trainen?'

Zijn ogen dwalen weer naar het kleine raam waar vijf minuten geleden het meisje te zien was.

'Ik vind het fijn als je meegaat naar het eiland,' hoort Brecht zichzelf zeggen.

'Dan doe ik dat. Voor jou.' Hij lacht plagend.

'Fijn.' Ze schaamt zich voor die onredelijke gevoelens van jaloezie waar Froukje haar min of meer voor gewaarschuwd heeft. Ze had het kunnen weten.

Een half uur later zijn ze met Douwe en Steven op het eiland en proberen een rondje om het eiland hard te lopen, zonder uit te rusten. Alleen Douwe slaagt erin.

Vlakbij de schuur doen ze spieroefeningen. Niemand weet of de oefeningen goed zijn voor de spieren die belangrijk zijn bij het schaatsen. Maar aangezien ze bezig zijn hun conditie op te bouwen, kan het geen kwaad.

Tegen drieën stappen ze de schuur binnen om uit te rusten. Jurre heeft weer een sms'je gekregen.

'Wat nu weer?' reageert Brecht. 'Er blijft weinig beltegoed over.'

'Politie niet inlichten,' leest Jurre. 'Niemand mag weten dat ik hier ben.'

'Het lijkt wel een cryptogram. Waarom is ze bang voor de politie? Die kan toch helpen?' Brecht maakt een vragend gebaar. 'Nu heeft ze twee keer gezegd dat de politie er buiten moet blijven. Vreemd.'

'Hoe gaan jullie dit aanpakken?' vraagt Douwe nieuwsgierig.

'Heel simpel,' antwoordt Jurre. 'We wachten vanavond tot ze naar buiten komt.'

'En dan?'

'Een schuilplek regelen.'

'Hier?' vraagt Brecht.

Jurre kijkt haar verbaasd aan. 'Zou jij hier in je eentje in de kou willen slapen?'

'Ze wil niet dat anderen weten waar ze is,' zegt Brecht fel.

'Waar moet je haar dan verstoppen?'

Jurre kijkt de anderen om de beurt aan. 'Weten jullie iets?'

'Het is de vraag of het verstandig is om haar te helpen,' zegt Douwe.

'Hoezo?' vraagt Jurre.

'Omdat je niet weet met wie je te maken hebt. Als ik jullie was, zou ik uitkijken,' voegt Douwe er waarschuwend aan toe. 'Misschien lopen jullie meer gevaar dan je denkt.'

Hoofdstuk 19

ACTIE!

Jurre staart zwijgend naar de houten vloer.

'Ik vind het een vreemde toestand,' benadrukt Douwe.

'Dat meisje heeft hulp nodig,' mompelt Jurre.

'Denk je?' Douwe kijkt hem aan. 'Volgens jullie heeft ze op twee verschillende adressen geslapen. Ze zegt dat ze weg wil, maar blijft in de boerderij. Ze kan toch uit het raam klimmen als het donker is? Waarom blijft ze binnen en waarom wil ze er geen politie bij? Leg mij dat maar eens uit.'

'Dat kan ik niet uitleggen,' zucht Jurre. Hij kijkt naar Brecht. 'Jij was het die als eerste een soort beklemming voelde toen je langs dat huis fietste. Angst, verdriet...'

'Dat gevoel is er nog steeds,' geeft ze toe. 'Een naar, duister gevoel.'

'Dat betekent toch dat het meisje in de problemen zit?'

'Dat kan,' zegt Douwe. 'Toch moet je uitkijken dat je niet ergens ingeluisd wordt.'

Jurre lacht spottend. 'In wat bijvoorbeeld?'

'Jullie denken dat het meisje vastgehouden wordt. Maar misschien doet ze alleen maar alsof.'

'Waarom doet iemand alsof?' valt Jurre uit. 'Daar geloof ik dus niets van. Dat meisje vertrouwt ons. Ze gaat ervan uit dat ze vanavond om acht uur opgehaald wordt en naar een veilige plek gebracht wordt.'

'Er kan iets zijn wat wij over het hoofd zien,' zegt Brecht.

Jurre schudt zijn hoofd. Dat gelooft hij niet.

'Het kan gevaarlijk zijn,' herhaalt Douwe. 'Je weet niet wat er gebeurt nadat je haar hebt opgehaald.'

Brecht haalt diep adem. Ze voelt de spanning in haar lijf toenemen. 'Nog even en ik blijf vanavond thuis.'

'Als er iets misgaat, heb ik jullie gewaarschuwd.'

'Bangmakerij,' mompelt Jurre en hij kijkt even naar Douwe. Dan hechten zijn ogen zich aan die van Brecht. 'Wat denk jij?'

De vraag overrompelt haar. Ze beweegt haar schouders aarzelend op en neer. 'Ik denk ook dat het gevaarlijk is.'

'Ik ga vanavond naar die boerderij. Dat is afgesproken. Wie gaat er mee?'

'Ik,' zegt Steven, die tijdens het gesprek geen woord heeft gezegd.

'Je moet eerst onderdak voor haar regelen,' vindt Douwe.

Jurre negeert zijn opmerking en kijkt vragend naar Brecht. 'Jij?'

'Ik weet niet waar we haar naartoe moet brengen.'

'Ga je vanavond wel of niet mee om haar op te halen? Ik wil het zeker weten.'

'Ja,' antwoordt ze schoorvoetend. 'Ik ga mee. Hoe gevaarlijk zou het zijn?'

'Dat kunnen we niet inschatten,' zegt Douwe. 'We weten niet in welke situatie dat meisje zit.'

'Dat betekent dat het belangrijk is dat het meisje geholpen wordt,' benadrukt Jurre. 'Kan ik op jullie drieën rekenen?'

'Zal ik mijn ouders vragen…' vraagt Brecht.

'Nee,' valt Jurre haar in de rede. 'We mogen er niemand bij betrekken, tot we haar zelf gesproken hebben. Niemand mag weten dat ze hier is. Dat heeft ze ge-sms't.'

'Als ze ergens moet logeren, dan zullen we toch over haar moeten vertellen,' peinst Brecht. 'Misschien kan ze bij ons slapen. Thuis weten ze dat ik contact heb met een buitenlands meisje via mijn eigen telefoon.'

'Kennen we niet iemand met een zomerhuisje?' Jurre kijkt de kring rond.

'Waarom niet gewoon bij één van ons in huis?' vraagt Steven. 'Dat lijkt me voor haar ook prettiger.'

'Ze wil niet dat andere mensen op de hoogte zijn.'

'Jullie hebben een groot huis,' zegt Douwe.

'Dan kan ze evengoed ontdekt worden,' antwoordt Jurre.

Het idee dat het meisje bij Jurre thuis zal slapen, staat Brecht niet aan. 'Mijn tante en oom hebben een huisje dat ze weleens verhuren.'

'Zou ze daarheen mogen?'

'Dan moet ik een smoes verzinnen. Omdat ze niet mogen weten wie daar slaapt.'

'Het lukt me vanavond wel om haar ongezien in huis te smokkelen,' zegt Jurre. 'Dan kan ze de eerste nacht bij ons slapen.'

'Of bij ons!' mompelt Brecht. 'Misschien gaat ze liever met een meisje mee.'

'Whatever,' fluistert Jurre en maakt een afwerend gebaar. 'Vannacht kan ze in ieder geval ergens slapen. Morgen zoeken we een andere plek.'

'Eindelijk actie!' knikt Brecht. 'Ik wil wel eens weten wat zij uitspookt.'

Douwe blaast zijn handen warm. 'Brr, het is koud hier in de schuur.'

'Clubhuis,' verbetert Brecht hem met een brede glimlach.

Douwe haalt zijn neus op. 'Ik noem het pas ons clubhuis als we toestemming hebben van de eigenaar. Wat zou het gaaf zijn om het samen op te knappen.'

'En dan wens ik dat we een houtkachel krijgen,' lacht Steven.

'En nog even over die onderlinge wedstrijden van de schaats-club in Brekkenveen. Ik wil graag meedoen. Maar dan moet ik lid worden.'

'Ga je onze club verlaten?' Brecht trekt een dramatisch gezicht.

'Natuurlijk niet!' Douwe trekt een ernstig gezicht. 'Ik denk dat we lid kunnen worden en onze eigen club houden.'

'Alleen omdat je met die wedstrijd mee wilt doen?' vraagt Brecht.

'We moeten wedstrijdervaring opdoen. En als we lid zijn, kunnen we ook meedoen met de trainingen.'

'Ik vind het een goed idee,' zegt Jurre. 'Als we maar niet tegen elkaar hoeven te rijden.'

'Geen probleem!' Douwe steekt een vuist in de lucht. 'Deze keer win ik van je.'

'Mag ik de heren even onderbreken?' grapt Brecht. 'De wedstrijd waar we vorige week aan mee hebben gedaan, was bedoeld voor kinderen die niet op een schaatsclub zitten. Dat betekent dat we bij de onderlinge clubwedstrijden tegen snel-le schaatsers moeten rijden. Denk dus maar niet dat je goed bent. Het zou best kunnen dat je afgaat als een gieter.'

'We zullen zien,' grijnst Douwe vol zelfvertrouwen. 'Het is algemeen bekend dat je in de sport moet leren omgaan met teleurstellingen en tegenslagen.'

Brecht klapt in haar handen. 'Mooi gesproken!'

'Melden we ons deze week aan als lid van de schaatsclub in Brekkenveen?' wil Douwe weten.

'We overleggen het met de anderen.' Jurre staat op na een vluchtige blik op zijn horloge. 'Ik wil naar huis om te eten en daarna op tijd bij de boerderij zijn.'

'Doe vanavond wel donkere kleren aan,' adviseert Steven. 'Dan vallen we niet zo op.'

'Zal ik thuis vragen of ze vannacht bij ons kan slapen?'
Brecht wil koste wat het kost voorkomen dat het meisje bij
Jurre slaapt.
'Zolang we niet weten wat er aan de hand is, is het beter
niet over haar te praten. Niemand mag weten dat we haar
vanavond ophalen,' zegt Douwe. 'Ook onze ouders niet.'
Druk pratend verlaten ze de schuur en stappen in de oude
roeiboot van Tom van Zwinderen. Douwe roeit hen naar het
vasteland terug. Ze spreken af dat ze om kwart over zeven
op het plein verzamelen en dan samen naar de boerderij fietsen.

Thuis is Brecht niet erg spraakzaam. Ze ontwijkt iedereen en
reageert niet op vragen.
'Ik moet straks nog even weg,' zegt ze als ze met haar ouders
en Froukje aan tafel zit. 'We hebben een vergadering van
onze club.'
'Waar vergaderen jullie?' vraagt Fenna.
'Bij Jurre!' antwoordt Froukje voordat Brecht de kans krijgt.
'Douwe!' verbetert Brecht en steekt haar tong uit.
'Dan weet ik zeker dat Jurre daar ook is.'
'Logisch!'
Brecht trekt warme laarzen aan en pakt zich goed in. Buiten
vriest het twee graden. Ze fietst hard om het warm te krij-
gen.
Jurre staat al te wachten op het plein.
'Wat heb je achter op je fiets?' vraagt Brecht.
'Een jas. Voor het geval zij geen jas heeft.'
'Dat je daaraan gedacht hebt,' mompelt Brecht verrast.
Binnen twee minuten zijn ook Douwe en Steven er. Ze
vertrekken meteen.
'We gaan een vreemd avontuur tegemoet,' zegt Douwe met

een grafstem. 'En ik weet nog steeds niet wat ik ervan moet denken.'

'Er is eindelijk actie!' zegt Brecht. 'Daar ben ik blij om.'

Jurre en Steven fietsen zonder iets te zeggen verder.

Als ze de donkere Rondweg op fietsen, voelt Brecht hoe haar hart op hol slaat. Zou alles goed gaan?

Hoofdstuk 20

KANSLOOS?

De maan werpt donkere schaduwen over de Friese vlakte. Slierten mist hangen boven de weilanden. In de verte, net over de rand van de oude zeedijk, draait het licht van de vuurtoren rond.

'Wat spookachtig,' mompelt Brecht vanachter haar sjaal.

'Ik vind het juist mooi,' zegt Jurre.

'Het is maar wat je mooi noemt. Ik heb het gevoel dwars door een bloedstollende horrorfilm te fietsen.'

'Er gebeurt heus niets,' probeert Jurre geruststellend.

'Maar misschien ontdekken we straks bij die boerderij wel iets vreselijks.'

'Dat zal wel meevallen.'

Even bekruipt Brecht het gevoel dat het een droom is die ze echt beleeft. Het is moeilijk te geloven dat zij met Douwe, Steven en Jurre op weg is naar een geheimzinnig meisje. Een meisje dat wil ontsnappen.

Plotseling klinkt er een kabaal boven hun hoofden. Een vogel fladdert weg uit een boom. Geschrokken slaakt Brecht een kreet.

'Jeetje, ik schrik harder van jou dan van die vogel,' zegt Steven.

'Stop!' roept Jurre opeens. 'We zijn er bijna. We kunnen het laatste stukje beter lopen en onze fietsen ergens verstoppen.'

'Wat doen we als we moeten vluchten?' vraagt Douwe zachtjes.

'We hoeven niet te vluchten. En zonder fiets kunnen we ook

wegkomen,' zegt Jurre. 'De sloten zijn niet zo breed. Met een flinke aanloop spring je er zo overheen.'

'Stel dat we moeten wegrennen…' Brecht wacht een paar tellen. 'Waar zien we elkaar dan weer?'

Niemand hoopt dat er iets zal gebeuren, maar voor de zekerheid spreken ze een punt af waar ze op elkaar zullen wachten. Dan lopen ze langzaam richting de boerderij.

'Zal ik het meisje een sms'je sturen,' stelt Jurre ineens voor. 'Dan weet ze dat we in de buurt van de boerderij op haar wachten.

'Nee, niet doen,' zegt Brecht. 'Je weet niet wat er daar binnen in die boerderij gebeurt. Waarschijnlijk bereidt ze zich voor om te verdwijnen. Als er iets is, stuurt zij ons wel een sms'je.'

Douwe kijkt op zijn telefoon. 'Kwart voor acht. We zijn mooi op tijd.'

Samen zoeken ze een beschutte plek aan de rand het weiland voor de boerderij. Jurre wil niet te dicht bij de boerderij komen vanwege de bewakingscamera's.

Minuten gaan voorbij. Langzaam maar zeker dringt de kou door hun kleren heen.

Een zwak lichtschijnsel schijnt door de gesloten gordijnen naar buiten. Op het erf brandt een felle buitenlamp.

'Het is bijna acht uur,' zegt Douwe. Hij zet zijn kraag op tegen de wind. 'Hou alle kanten van de boerderij in de gaten. Ik denk niet dat ze over het erf zal lopen. Daar is veel te veel licht.'

'En er zijn ook camera's,' voegt Brecht eraan toe.

Het is ondertussen een paar minuten over acht. Gespannen wacht het viertal af.

'Wat voel je?' vraagt Jurre opeens.

'Je bedoelt…'

'Ja.'

Jurre en Brecht praten zachtjes met elkaar.

'Niks.'

'Hoe kan het dat je nu niks voelt?'

'Omdat ik zelf bang ben.'

'Is ze veilig?'

'Net zo veilig als wij.'

Steven geeft Brecht een duw. 'Kijk daar, rechts.'

Ze turen in de duisternis.

'Ik zie niks,' fluistert Brecht.

'Daar,' zegt Douwe weer, 'volgens mij zag ik het licht van een zaklamp.'

Ze turen nog een keer, maar er is niets meer te zien. Hun oren zijn nu wel gespitst op elk geluid. Opeens horen ze van rechts zachtjes voetstappen dichterbij komen.

'Sst,' waarschuwt Steven onnodig.

Brecht knijpt haar ogen dicht en haalt diep adem. Dan tuurt ze opnieuw naar de kant waar het geluid vandaan kwam. Er gebeurt niets.

Na een zenuwslopende minuut fluistert Jurre: 'Ik hoor niets meer.'

'Zou ze dichtbij zijn?'

'Als we maar niet worden omsingeld,' zegt Douwe.

Brecht huivert.

'Zal ik iets roepen?' stelt Jurre voor. 'Ze moet weten dat we hier zijn.'

Niemand geeft antwoord.

'We moeten iets doen.'

Jurre gaat staan. Ook Douwe en Steven gaan staan. Brecht kijkt bang om zich heen, maar staat dan ook op. De koude wind blaast in hun gezicht.

'Where are you?' fluistert Jurre.

'Harder,' mompelt Steven.

'Where are you!' herhaalt Jurre luider.

'Here,' klinkt een stem zachtjes.

Brecht haalt opgelucht adem. Het meisje is er.

Jurre knipt zijn zaklamp aan en schijnt om zich heen.

'Daar!' wijst Brecht met bonkend hart.

Het viertal kijkt naar het meisje dat bij de slootkant ineen gedoken tegen een knotwilg zit.

'Please, no lights,' smeekt ze in het Engels.

Vlug doet Jurre de zaklamp uit.

'Thank you.'

'We are on bikes!' stamelt Brecht.

Het meisje staat op en sjort de banden van haar rugzak strakker. 'Quick…' Ze is buiten adem.

'Volg ons,' zegt Steven.

'Ik moet hier weg,' fluistert het meisje met trillende stem. 'Er is niet veel tijd. Ze zullen ontdekken dat ik weg ben. Breng me alsjeblieft in veiligheid.'

Brecht pakt het meisje bij de hand. 'Kom maar.'

Ze zien elkaars gezichten niet.

Plotseling klinkt vanaf het erf geschreeuw.

'Rennen!' brult Jurre.

Brecht trekt het meisje mee. Ze struikelen en vallen allebei met een klap op de grond.

'Help me…' fluistert het meisje angstig. De rugzak is van haar rug gegleden.

'Schiet op!' Douwe grist de rugzak van de grond. 'Rennen!'

De meisjes staan snel op en hollen naar de fietsen.

Ze horen dat de bestelbus wordt gestart. Het geluid van de motor zwelt aan.

'Hij komt ons achterna!' roept Brecht geschrokken.

'We laten de fietsen liggen,' hijgt Jurre.

'Kansloos,' fluistert Douwe met hese stem. 'We zijn kansloos.'

'Zeur niet!' snauwt Jurre.

Brecht sleept het meisje achter zich aan naar de andere kant van de weg. Ze herinnert zich dat er een hek is. 'We gaan dat weiland in. Kom, opschieten!'

Achter elkaar klimmen ze over het hek.

In volle vaart rijdt de bestelbus naar de weg. Jurre draait zich abrupt om. 'Blijf uit het licht van de koplampen!'

Als de bus de weg opdraait, schijnen de koplampen even over het weiland.

Ze laten zich allemaal in het gras vallen en wachten in het dreigende donker wat er gebeuren gaat.

Hoofdstuk 21

BLOEDLINK

Ineengedoken in het gras volgen de vijf kinderen de felle lampen van de bestelbus. Na tweehonderd meter stopt de bestuurder en springt uit de wagen. Hij heeft een grote zaklamp in zijn hand en laat de lichtbundel langs de sloot-kant glijden. 'Ik weet dat je hier bent!' schreeuwt hij. Opeens rent hij achter de bus naar de andere kant van de weg.

'Onze fietsen,' kreunt Douwe.

'Als we geluk hebben ziet hij ze niet. Ze liggen een behoorlijk eind van de weg af,' zegt Jurre.

'Als we pech hebben ziet hij ze wel en zijn we erbij.'

'Wat er ook gebeurt,' fluistert Jurre, 'blijf zo lang mogelijk liggen.'

Het meisje is doodsbenauwd. Ze wil het liefst wegrennen.

Jurre legt in zijn beste Engels uit dat het beter is om in het hoge gras te wachten tot de kust veilig is.

'Ik ben bang.'

'Wij ook,' fluistert Brecht onverstaanbaar.

'He is very, very dangerous.'

'Wat zegt ze?' vraagt Steven die een eindje verder ligt.

'Dat die man heel gevaarlijk is.'

'We kunnen naar de andere kant van het weiland lopen,' stelt Douwe voor.

'Dat is bloedlink,' fluistert Jurre. 'Als we opstaan, vangt hij ons in het licht.'

'We hebben een voorsprong.' Douwes stem klinkt vreemd door de spanning.

'Bizarre situatie,' mompelt Steven zachtjes.

'Sst,' sist Brecht. 'Jullie praten veel te hard. Die man weet dat het meisje nog in de buurt moet zijn.'

Brecht ligt naast haar en luistert naar de onregelmatige ademhaling. Dit is een nachtmerrie! Niet alleen voor het onbekende meisje, maar ook voor de IJsblinkers.

Eindelijk gaat de man terug naar de bus en stapt weer in. Met een harde klap slaat hij de deur dicht, geeft gas en scheurt over de weg richting Woudega.

Steven staat op, maar Douwe trekt hem met een ruk naar beneden. 'Stommeling! Blijf liggen. Die kerel komt terug.'

'Weet ik. Daarom moeten die fietsen daar weg. We hebben nu tijd om dat te doen.'

'Nee, te gevaarlijk. We moeten uit het licht blijven. Grote kans dat hij straks hulp krijgt bij het zoeken.'

Steven laat zich langzaam weer zakken.

Gespannen volgen ze de auto en zien dat hij even later omkeert.

Als de bestuurder ter hoogte van het weiland vaart mindert, kijken ze gespannen toe. Gelukkig rijdt hij nog een stuk verder. Dan stopt hij en stapt weer hij uit. In zijn hand heeft hij weer die enorme zaklamp waarmee hij de omgeving af zoekt. Maar hij is te ver weg om hen te kunnen zien. Wel kunnen ze hem horen praten. Hij belt met iemand, het geluid van zijn zware stem draagt ver in de avondkou.

Waarom wil die man het meisje niet laten gaan?

'Hij geeft het zoeken niet op,' constateert Steven.

Het meisje volgt de gesprekken tussen het viertal, maar verstaat weinig van het Nederlands. Ze rilt van de spanning en de kou. 'He is dangerous,' benadrukt ze nog eens.

'Waarschijnlijk probeert hij een paar mensen te regelen die hem komen helpen zoeken,' fluistert Brecht. 'Dan zitten wij in het hol van de leeuw.'

Jurre vraagt aan het meisje of ze in het weiland wil blijven of vluchten.

'Hij zal nooit opgeven,' antwoordt ze schor. 'Weggaan is het beste.'

Jurre bijt op zijn duimnagel. 'Welke kant moeten we dan op?'

'Het is te gevaarlijk om langs de weg te lopen,' vindt Brecht.

'We moeten nu een beslissing nemen.' Jurre klinkt gejaagd.

'Heb jij het telefoonnummer van Tom van Zwinderen?'

'Ja,' antwoordt Jurre. Zijn verbaasde ogen zoeken Brecht in het donker. 'Hoezo?'

'Bel hem. Misschien wil hij ons ophalen.'

'Waarom hij?' vraagt Steven zich af.

'Onze ouders zullen ongerust zijn. Als die horen waar we in verzeild zijn geraakt, mogen we nooit meer de deur uit. Tom wil ons vast wel helpen. Dat weet ik zeker.'

'Ze heeft gelijk,' knikt Douwe.

Jurre zoekt het nummer van Tom en belt.

'Nu maar hopen dat hij thuis is,' zegt Brecht nerveus.

Doodstil wachten ze af tot de telefoon opgenomen wordt.

'Tom van Zwinderen. Goedenavond.'

'We hebben uw hulp nodig,' fluistert Jurre in de hoorn.

'Met wie spreek ik?'

'Jurre Duinkerken. We zitten op de oude Rondweg in een weiland...'

Tom krijgt geen tijd om vragen te stellen. Jurre geeft hem alleen de noodzakelijke informatie.

'Kijk uit voor een witte bestelbus. De chauffeur mag niet zien dat we in uw auto stappen.'

Het is even stil aan de andere kant van de lijn. 'Is dit een grap?'

'Nee,' antwoordt Jurre. 'We zijn in gevaar.'

Opnieuw is het een paar tellen stil. Tom haalt diep adem.

'Echt waar?'

'Het is bloedlink,' fluistert Jurre. 'Echt waar.'

'Oké, ik kom er aan.'

Brecht ligt klappertandend op haar zij en kijkt naar de rode achterlichten van de bus die even verderop staat.

'Als Van Zwinderen maar op tijd komt...' mompelt Steven. Na tien lange minuten wachten, komt er een auto aan. Is dat de auto van Van Zwinderen? Jurre geeft een kort sein met zijn zaklamp. Dat heeft hij met Van Zwinderen afgesproken.

De bestuurder van de bestelbus ziet de naderende auto, maar schenkt er gelukkig weinig aandacht aan.

Van Zwinderen weet dat er een witte bestelbus staat die de kinderen probeert op te sporen. Dat heeft Jurre hem verteld. Hij heeft het lichtsignaal gezien en rijdt langzaam verder. Vlak voor de boerderij rijdt hij de berm in.

De bestuurder van de bestelbus loopt verderop en inspecteert de slootkant.

'Wat nu?' vraagt Douwe gestrest. 'Hoe kunnen we ongemerkt in zijn auto stappen?'

De kinderen gaan op hun hurken zitten.

Van Zwinderen opent het raam. 'Pst, hierheen. Snel!'

'Het meisje eerst!' gebiedt Jurre.

Brecht trekt het meisje overeind. 'Quick,' hijgt ze. 'Run to the car!'

Het duurt zeker een minuut voordat iedereen in de auto zit. Dan rijdt Van Zwinderen richting de bestelbus.

'Don't,' waarschuwt het meisje bibberend van de kou. 'Niet doen.'

Verbaasd kijkt hij opzij, omdat het meisje Engels spreekt. 'Ik waag het erop. Niet bang zijn. Ik rijd langs de bus, zodat jullie het nummerbord kunnen zien en opschrijven.'

Met ingehouden adem rijden ze langs de bestelbus. Heel even zien ze een glimp van de man. Vlug schrijft Jurre op een stuk papier het kenteken.

Vermoedt de man iets? Hij kijkt naar de auto, maar het is te donker om te zien wie er in zitten.

Hij maakt geen aanstalten om de auto te volgen.

'We hebben geluk,' fluistert Jurre.

'Dat durf ik pas te zeggen als we veilig thuis zitten.' Douwe vertrouwt het niet.

Als de auto Woudega binnenrijdt, maakt de bedrukte stemming langzaam plaats voor opluchting.

'Wat is er in vredesnaam aan de hand?' vraagt Van Zwinderen. 'Wie is dat meisje?'

'Dat weten we niet,' antwoordt Brecht en, terwijl ze dat zegt, schiet ze van de zenuwen in de lach. 'Ze is vanavond uit die boerderij ontsnapt.'

'Ontsnapt,' herhaalt hij verbijsterd. 'Ik stel voor dat we naar mijn huis rijden. En dat jullie mij alles vertellen.'

'We weten weinig,' zegt Brecht.

Van Zwinderen kijkt over zijn schouder naar het meisje dat ineengedoken tegen de autodeur leunt. Ze heeft donker haar en bruine ogen. Ze kijkt bang. 'Who are you?'

'Miruna.'

'Miruna,' herhaalt Van Zwinderen. 'Mooie naam.'

Even plooit zich een glimlach in haar mondhoeken.

'Je bent veilig.'

Miruna slaat haar handen voor haar gezicht en begint zachtjes te huilen.

'You're safe,' herhaalt Van Zwinderen ontroerd. 'Daar hebben die IJsblinkers voor gezorgd.'

Hoofdstuk 22

HET ONGELOOFLIJKE VERHAAL VAN MIRUNA

Betty van Zwinderen begroet iedereen opgewekt, maar haar ogen staan ernstig. Ze begrijpt dat er iets aan de hand is, maar stelt geen vragen.

'Loop maar door naar de woonkamer,' zegt ze. 'De houtkachel brandt. Jullie hebben het koud, zie ik. Warme chocolademelk?'

Daar heeft iedereen wel zin in.

'Doe mij een plezier...' Tom van Zwinderen legt zijn hand op de schouder van zijn vrouw. 'Zou jij de ouders van deze kinderen kunnen bellen en vragen of ze met de auto willen komen om hun kind op te halen? Dan regelen we ook dat de fietsen daar vandaan gehaald worden. Die liggen ergens in de berm.'

'Wat is er gebeurd, Tom?' Betty kijkt naar het onbekende meisje. Haar grote bruine ogen steken erg af tegen haar witte huid. Ze loopt naar het meisje toe en geeft haar een hand.

'Hallo. Ik ben Betty, de vrouw van Tom.'

Miruna knikt verlegen en wendt haar gezicht met de schuwe ogen af.

'Hoe heet je?'

Miruna kijkt Tom vragend aan.

'Ze vraagt naar jouw naam,' legt hij haar in het Engels uit.

'Miruna.'

Betty's ogen schieten heen en weer. 'Tom, wie is dit meisje en wat is er aan de hand?'

'Wil je eerst de ouders inlichten?' vraagt Tom vriendelijk.

Jurre geeft haar een lijstje waarop hij alle telefoonnummers heeft geschreven.

'Komt in orde. Eerst warme chocolademelk.'

Tom knikt liefdevol naar zijn vrouw. 'Ik praat je straks wel bij.'

Onwennig zitten ze even later rond de houtkachel. Miruna zit weggedoken in een grote fauteuil. Een propvolle rugzak leunt tegen haar benen. Haar smalle handen rusten op haar bovenbenen. Ze staart naar de kachel en mijdt zoveel mogelijk de vragende ogen om haar heen.

Als Betty voor zichzelf een stoel bijschuift, weten ze nog steeds niet wie Miruna is en hoe ze in Nederland terecht is gekomen.

Brecht legt voor de duidelijkheid nog eens uit hoe ze met Miruna in contact zijn gekomen.

'Dat het verliezen van je telefoon zulke gevolgen kan hebben,' glimlacht Tom. Hij schraapt zijn keel en richt zich tot Miruna. 'Kun je ons vertellen waarom je wilt vluchten?'

'He is dangerous,' antwoordt ze.

'Bedreigde hij jou?'

'Eigenlijk was ik zijn slaaf...'

'Slaaf?' herhaalt hij fronsend. 'Van wie, hoe heet die man?'

Ze haalt haar schouders op. 'Rudolf Mayers. Tenminste, dat zegt hij.'

'Dat geloof je niet?'

'Nee. Het is niet zijn echte naam.'

'Hoe ken je hem?'

Miruna lacht schril. 'Hij bezocht deze zomer ons dorp. Die man is een gevaarlijke leugenaar.'

'Waar kom je vandaan?' vraagt Brecht in het Engels.

'Uit Roemenië. Uit een dorpje in de buurt van Constanta bij de Zwarte Zee.'

'Hoe kom je in Nederland?'

Miruna praat niet zo heel goed Engels en door haar sterke accent is ze soms moeilijk te verstaan.

Iedereen luistert aandachtig wanneer ze het verhaal met horten en stoten verteld.

'Niet te geloven,' zucht Jurre als Miruna klaar is met haar verhaal.

'Ik heb niet alles begrepen,' zegt Brecht.

Tom van Zwinderen vat het verhaal samen. 'Het komt erop neer dat de man die zich Rudolf Mayers noemt, samen met zijn vrouw een tijdje op vakantie was in het dorp waar Miruna geboren en getogen is. Hij legde contact met verschillende families in dat dorp en deed zich voor als een weldoener. Hij beloofde de arme families in het kleine plattelandsdorpje van alles. Hij kwam met een fantastisch plan op de proppen. Vier dochters van arme boeren wilde hij de kans bieden om in het westen te studeren. Hij zou alles regelen. Huisvesting en een goede opleiding. De ouders hoefden geen geld te betalen. Rudolf Mayers en zijn vrouw zouden ervoor zorgen dat deze meisjes straks goed opgeleid naar Roemenië terug zouden kunnen. De ouders van Jennica, Ruxana, Bogna en Miruna vonden het een geweldig idee. In hun dorp was geen middelbaar onderwijs. En wie wilde studeren moest naar de grote stad. Maar daar hadden deze mensen geen geld voor. Mayers gaf de ouders en de vier meisjes een maand bedenktijd. De meisjes zouden van hun ouders gescheiden worden en moesten zich aanpassen in een ander land met een andere taal en cultuur. Dat waren geen dingen waar je zomaar overheen kon stappen. De betrokken families vonden het echtpaar Mayers sympathiek. De komst van Rudolf Mayers naar Roemenië was voor hen een geschenk uit de hemel. Hij was aardig en de families vertrouwden het echtpaar. Alles werd door Mayers geregeld. Paspoorten en alle papieren die nodig zijn om tijdelijk in een ander land te wonen. Tenminste, dat zei hij.'

'Ik wilde niet mee,' vertelt Miruna. 'Mijn oma was ziek en ik was bang dat ze zou sterven. Ik wilde voor haar zorgen en zoveel mogelijk bij haar zijn. Ik ben naar haar vernoemd. We hebben dezelfde naam. Oma vond dat ik moest gaan. De toekomst lag voor me open. Dit was een kans die ik moest grijpen. Het was goed voor mij. Ze zou op me wachten... Dat heeft ze beloofd.'

Er glijden twee tranen over Miruna's wangen. Ze zegt dat ze niet weet hoe het nu met haar oma is, omdat ze geen contact met haar familie heeft. Mevrouw Mayers vertelde dat ze namens de vier meisjes een brief had geschreven.

'Ze zullen het raar vinden dat ik geen brieven schrijf. Ze weten dat ik heimwee heb, dat ik hen mis en dat ik beloofd heb veel te schrijven. Ze zullen ongerust zijn. We zijn nu al bijna drie maanden uit Roemenië weg. Maar we mogen niet schrijven. We mogen ook nooit het huis verlaten.'

Betty van Zwinderen ziet dat het Miruna veel moeite kost over haar oma te praten. 'Oké, ik maak nog even wat warme chocolamelk.' Even later komt ze terug en schenkt alle bekers vol.

Miruna lijkt zich meer te ontspannen, maar voelt zich allesbehalve veilig.

Tom van Zwinderen gaat verder met het samenvatten van Miruna's ongelooflijke verhaal. 'Toen Miruna in Nederland kwam werden haar papieren afgenomen. Ze heeft nu dus geen paspoort, geen identiteitskaart, geen verblijfsvergunning, niets. Meneer Mayers heeft de meisjes duidelijk gemaakt dat ze illegaal in Nederland zijn. Mochten ze ervandoor gaan, dan worden ze sowieso opgepakt door de politie en hebben ze een probleem. Kortom, hij heeft Jennica, Bogna, Ruxana en Miruna voortdurend bang gemaakt en gewaarschuwd. Noem het chantage! Het komt erop neer dat de vier meisjes op een listige manier uit het land zijn gesmokkeld om in zijn naaiatelier te werken. Overdag moeten ze kleding naaien, die bestemd is voor de illegale handel in België en Frankrijk. Om te voorkomen dat ze gepakt worden, verhuizen ze regelmatig met het mobiele atelier naar andere delen van het land waar ze ruime woningen huren. Omdat de boerderij tussen Woudega en Brekkenveen met een technische storing te kampen had, hebben ze twee nachten in een boerderij doorgebracht midden in Woudega.'

'Wat een verhaal,' mompelt Betty hoofdschuddend.

Miruna pakt de warme beker chocolademelk in beide handen en zet de rand tegen haar lip. 'Now you are free,' zegt Brecht glimlachend tegen haar. 'I think you are happy!'

Miruna schudt triest het hoofd. 'No, I'm not happy.' Na een korte stilte legt ze uit waarom ze niet blij is. Bogna, Jennica en Ruxana zitten nog in het huis. Zij lopen gevaar, omdat Miruna ontsnapt is. Misschien gaan de Mayers ervandoor, omdat ze weten dat Miruna alles aan de politie zal vertellen. Maar wat gebeurt er dan met haar drie vriendinnen?

'Als ik weet dat ze in veiligheid zijn, zal ik gelukkig zijn. Nu nog niet.'

Betty van Zwinderen staat op. 'We moeten de politie inschakelen,' zegt ze. 'Die andere meisjes lopen gevaar.'

Maar Miruna is bang dat alles verkeerd zal gaan als de politie erbij gehaald wordt. 'Dan is het mijn schuld. Ik heb ze in gevaar gebracht door te vluchten. Zij durfden niet weg te lopen. Ze dachten dat ze binnenkort weer werden teruggebracht naar Roemenië. Ik heb geprobeerd om hen ervan te overtuigen dat Mayers dat nooit zou doen. Dat is niet gelukt.

Daarom ben ik alleen weggegaan.'

'Dit is ingewikkeld,' mompelt Jurre.

Voordat ze er erg in hebben, komen er verschillende ouders binnendruppelen. Vol verbijstering luisteren ze naar wat er gebeurd is.

'Jullie hebben een illegaal naaiatelier opgerold,' mompelt Stevens moeder. 'Dat zoiets in Nederland gebeurt!'

'Er is niets opgerold,' zegt Steven. 'Miruna en de drie andere meisjes lopen nog steeds gevaar.'

'Misschien moet ik teruggaan,' zegt Miruna opeens.

'Absoluut niet!' roept Tom van Zwinderen resoluut. 'Dat is veel te gevaarlijk. We zullen de zaak overdragen aan de politie. Jij blijft bij ons. Hier ben je veilig.'

Hoofdstuk 23

CONCURRENTIE

Als de ouders van Brecht naar huis toe willen, staat Brecht aarzelend op. Ze loopt naar Miruna om haar een hand te geven. 'Misschien zie ik je nooit weer,' zegt ze.

Miruna begrijpt haar niet, maar Van Zwinderen vertaalt wat Brecht zegt.

Miruna gaat ook staan. Ze is zestien, maar kleiner dan Brecht. 'Nee, misschien zie ik je nooit weer.'

'Wanneer ga je terug naar Roemenië?'

'Snel,' glimlacht Miruna. 'Als het van de politie mag.'

'Eerst moeten Rudolf Mayers en zijn handlangers opgepakt zijn,' glimlacht Betty.

'Zou hij ervandoor zijn gegaan?' vraagt Jurre.

'Ik denk het wel.' Miruna strijkt haar lange steile haar naar achteren. 'Ik maak me ongerust over mijn vriendinnen. Zouden ze veilig zijn?'

Ondertussen zijn er twee agenten gearriveerd die door Van Zwinderen telefonisch op de hoogte zijn gebracht.

De agenten vragen of de kinderen die Miruna geholpen hebben, nog even willen blijven. 'We willen een nauwkeurig beeld hebben van alles wat er is voorgevallen. Iedereen is er nu, dus moeten we van die situatie gebruik maken.'

Miruna frummelt zenuwachtig aan de mouw van haar dikke trui. Ze zegt dat de politie eerst naar haar vriendinnen moet zoeken. 'Misschien ontvoert hij hen naar het buitenland. Dan zie ik ze nooit meer terug.'

Een van de agenten, een blonde vrouw, stelt haar gerust

en vertelt dat er op dit moment twee politiewagens naar de boerderij zijn gegaan om poolshoogte te nemen. 'Ze brengen verslag uit, zodra ze meer weten.'

'Hij heeft een wapen. Dat liet hij ons wel eens zien. Hij maakte ons altijd bang. Omdat ik gevlucht ben, zal hij…'

'Een wapen?' onderbreekt de agent met het ringbaardje. 'Mijn collega's zullen uiterst voorzichtig te werk gaan. Daar heb ik alle vertrouwen in.'

Miruna geeft op verzoek een nauwkeurig signalement van het echtpaar. In overleg met de politie wordt besloten om de fietsen op een later tijdstip op te halen. Eerst moet het sein 'kust veilig' gegeven worden.

Betty van Zwinderen maakt voor iedereen nog een kop chocolademelk.

Tijdens het vraaggesprek met de politie helpt Van Zwinderen Miruna met het formuleren van de antwoorden in het Engels.

Dan gaat de telefoon van de agente over. Het wordt doodstil in de kamer. Zou dat een bericht zijn over Miruna's vriendinnen?

De agente luistert aandachtig en stelt een korte vraag. Het gesprek duurt hooguit vijftien seconden.

'Zijn ze gered?' vraagt Miruna.

De agente kijkt even naar haar collega, voordat ze de anderen in het Engels informeert. 'De boerderij is doorzocht. Er is niemand gevonden.'

Miruna's ogen vullen zich met tranen. 'Hij heeft ze meegenomen.'

'Dat is logisch,' meent Van Zwinderen. 'Dat is het enige wat hij kon doen. Iedereen moest in de bestelwagen en toen is hij er in vliegende vaart vandoor gegaan.'

'De naaimachines, rollen stof, garen en andere dingen zijn

achtergebleven. Alle kamers zijn doorzocht. Er zijn geen bewoners aangetroffen,' meldt de agente.

'We hebben het kenteken van de bestelbus!' roept Jurre plotseling. Hij trekt een verfrommeld papiertje uit zijn zak en geeft dat aan de politieagent.

Het kenteken wordt onmiddellijk doorgegeven aan het politiebureau.

'Ben je bang?' vraagt de agente.

'Yes,' antwoordt Miruna met hese stem. 'Onze levens zijn niet belangrijk voor hem. Het gaat om geld. Heel veel geld.'

Jurre zit naast Brecht. Hij stoot haar onopvallend aan. 'Wat denk jij?'

'Denken?'

'Voelen,' verbetert hij.

'Er kan nog van alles gebeuren,' fluistert Brecht. 'Toch denk ik dat die vriendinnen net als Miruna weer naar Roemenië terug zullen gaan.'

'Eind goed, al goed.' Jurre zuigt zijn longen langzaam vol lucht. 'Met die telefoon had je gelijk. Die heb je nu weer terug. Ik hoop dat alle vier meisjes straks weer bij hun ouders terug zijn.'

'Telefoon? Daar zeg je wat.' Brecht probeert Miruna's aandacht te trekken en brengt haar hand naar het oor.

Miruna begrijpt het meteen en pakt de telefoon uit het voorvakje van haar rugzak. 'Thanks for losing it.'

In overleg met de agenten wordt besloten dat Miruna bij de familie Van Zwinderen slaapt.

Ze is ontzettend moe, maar zegt dat ze niet zal kunnen slapen zolang ze niet weet hoe het met Bogna, Ruxana en Jennica is.

De agenten willen via de Roemeense politie met de ouders van Miruna contact zoeken.

'Niet doen,' zegt Miruna. 'Mijn ouders weten niet wat er gebeurd is. Ze denken dat het goed met me gaat. Dat ik studeer. Pas als mijn vriendinnen in veiligheid zijn mogen mijn ouders gebeld worden. Voor de ouders van Bogna, Ruxana en Jennica zou het vreselijk zijn om te horen dat ik veilig ben en hun dochters niet.'

'Goed hè,' fluistert Jurre bewonderend in Brechts oor, 'dat ze aan haar vriendinnen denkt.'

'Logisch,' antwoordt Brecht nors. 'Zou ik ook doen.'

Waarom steekt het haar dat hij Miruna bewondert?

Het is elf uur geweest als iedereen afscheid van elkaar neemt.

'Jullie krijgen een zwijgverbod opgelegd,' deelt de agent mee. 'Dat geldt ook voor jullie ouders. Zolang het onderzoek gaande is en de drie meisjes niet in veiligheid zijn gebracht, mag niemand ook maar iets over deze zaak zeggen. Eerst moet het echtpaar Mayers gearresteerd zijn.'

Miruna staat tussen Betty en Tom van Zwinderen in om de anderen uit te zwaaien.

'Wat een avontuur,' zucht Brecht als ze eindelijk in de auto zit, op weg naar huis.

De volgende dag is het moeilijk om op school te zwijgen over alles wat ze meegemaakt hebben. Ze zijn er vol van. Berber, Lela en Romke worden wel summier ingelicht.

Tussen de middag wordt Brecht door Betty van Zwinderen gebeld. Betty heeft vrij genomen van haar werk omdat ze Miruna niet alleen wilde laten.

'Ik nodig jullie allemaal uit om na school bij ons te komen voor een kop thee en appeltaart. Ik denk dat het voor Miruna een prettige afleiding is. Ze heeft slecht geslapen en praat weinig. Vanochtend heeft ze bijna alleen maar stilletjes voor zich uit zitten staren.'

Brecht belooft dat ze de andere IJsblinkers zal inlichten en dat ze met z'n allen op de uitnodiging in zullen gaan.

Om vier uur 's middags staan de zeven IJsblinkers voor het huis van het echtpaar Van Zwinderen.

Miruna doet de voordeur open. 'Hello!' groet ze enthousiast.

De IJsblinkers staren haar verbaasd aan. Ze kennen Miruna bijna niet terug. Ze heeft stralende ogen en blozende wangen.

'De politie heeft ze opgepakt!' vertelt ze in het Roemeens.

Niemand begrijpt haar, maar het is duidelijk dat er goed nieuws is.

Betty doemt lachend achter haar op. 'Een uur geleden is het echtpaar Mayers in hun bestelbus bij de Duitse grens opgepakt. De drie meisjes zaten in de bus. Ze zijn nu veilig. Er wordt goed voor hen gezorgd. Miruna heeft via de telefoon al even met hen gepraat,' voegt ze eraan toe.

Jurre doet als eerste een stap naar voren en geeft Miruna spontaan een kus op beide wangen. 'Nu ben je weer gelukkig!'

'Yes!' antwoordt Miruna met tranen van blijdschap in haar ogen. 'So happy!'

Brecht is verbaasd dat Jurre haar zomaar kust.

Zij is nog nooit door hem gekust!

Is hij verliefd op Miruna? Er gaat een felle steek van jaloezie door haar heen.

Iedereen feliciteert Miruna.

'We moeten een feest organiseren,' vindt Jurre.

'We zouden toch gaan schaatsen,' zegt Brecht zachtjes.

'Schaatsen? Dat je daar nu aan denkt!'

Betty hoort hen praten. 'Miruna vindt schaatsen leuk. Vanochtend hebben we veel over haar leven in Roemenië gepraat. Daar hebben ze strengere winters dan in Nederland. Ze heeft van een tante echte kunstschaatsen gekregen.'

'Kun jij schaatsen?' vraagt Jurre verrast.

Miruna knikt bevestigend en draait een sierlijke pirouette.

'Zullen we vanavond met z'n allen naar de ijsbaan gaan?' Jurre kijkt de anderen aan. 'Dan kan ze die nare tijd even vergeten. Van wie zou ze een paar kunstschaatsen kunnen lenen?'

'Van mij!' Betty steekt lachend haar vinger op.

'Doen we!' roept iedereen door elkaar.

Behalve Brecht. In haar lijf klopt een onbestemd, vaag gevoel.

'Jij niet?' vraagt Jurre verbaasd.

'Ik denk het niet. Ik ga naar huis.'

Hoofdstuk 24

ZIE JE WEL

'Smaakt het niet?' vraagt Fenna wanneer Brecht haar bord met aardappels en groente wegschuift.
'Jawel.'
'Geen trek?'
'Ik heb twee stukken appeltaart gehad bij mevrouw Van Zwinderen.'
Fenna zet haar ellebogen op tafel en kijkt haar dochter strak aan. 'Het ligt niet aan de appeltaart.'
'Wat bedoel je?'
'Er is iets gebeurd.'
Brecht schudt haar hoofd en mijdt de onderzoekende blik van haar moeder.
'Waarom ga je niet mee naar de ijsbaan?'
'Ze willen "gezellig rondjes draaien" in plaats van trainen.'
'Brecht, vertel nu eens wat je werkelijk dwarszit!'
'Ik ben moe. Ik lag te laat in bed door die hele toestand.'
'Heb je ruzie?'
'Hoe kom je daar nou bij?'
Fenna loopt om de tafel en pakt Brechts bord. 'Dus ik heb alles voor niets gedaan,' zucht ze.
'Sorry.'
Toen Brecht drie kwartier geleden thuiskwam met de mededeling dat ze graag vroeg wilde eten, is Fenna meteen begonnen met koken. Ze was toen nog in de veronderstelling dat Brecht naar de ijsbaan in Brekkenveen zou gaan.
Fenna zet het bord op het aanrecht en schuift de etensresten

in het gft-bakje.

Brecht staat op van tafel en loopt verveeld in de kamer heen en weer. Haar ogen gaan voortdurend naar de klok. Over vijftien minuten gaan ze weg. Ze loopt de trap op, naar haar kamer. Terwijl ze naar binnen loopt, valt haar oog op iets dat onder haar bed ligt. Ze bukt en pakt het knuffelbeertje op. Ze was vergeten dat het hier nog lag.

'Voor Jurre,' fluistert ze spottend. 'Als aandenken.' In gedachten ziet ze hoe hij Miruna omhelsde en twee kussen gaf. Twee nog wel! De gebeurtenis blijft zich als een afschuwelijke, geluidloze film in haar hoofd herhalen. Het beertje glijdt uit haar handen en valt op de grond. Achteloos schopt ze het onder het bed en zet de computer aan. Tot haar verrassing ziet ze dat er een berichtje van Jurre in haar mailbox zit. Met tegenzin opent ze het.

To: Brecht Reitsma
From: Jurre Duinkerken

Hallo Brecht,

Het is jammer dat je niet meegaat naar de ijsbaan. Vind je het schaatsen niet meer leuk of heb je gewoon even geen zin? Het lijkt me leuk om Miruna te zien schaatsen. Ze zei dat ze de laatste jaren veel geoefend heeft met kunstschaatsen. Maar dan wel op natuurijs. Ze heeft nog nooit een overdekte ijsbaan gezien. Misschien is kunstrijden iets voor mij als hardrijden niks wordt :-) Ik en kunstschaatsen! Om kwart over zeven vertrekken we. Tot later.

Jurre

'Het lijkt me leuk om Miruna te zien schaatsen...' leest ze hardop.

Waar slaat dat nou op? Vindt hij het ook leuk om haar te zien schaatsen?

Het lijkt wel alsof er duizenden wespen in opstand komen. Alles draait, fladdert, tolt en steekt in haar maag. Ze wordt er misselijk van.

Brecht klikt het bericht weg en gaat op de vensterbank zitten. Over vijf minuten vertrekken ze vanaf het plein. Zal ze meegaan? Als ze hier blijft, zal ze nooit weten hoe Jurre zich tegenover Miruna gedraagt.

Ze wurmt haar voeten in de sportschoenen, schakelt de computer uit, stopt een schaatstrui in haar tas en rent met veel kabaal de trap af.

Fenna steekt geschrokken haar hoofd om het hoekje van de keukendeur. 'Waar is de brand?'

'Ik ga toch naar de ijsbaan.'

Voordat Fenna iets kan zeggen is Brecht het huis al uit. Staand op de pedalen fietst ze naar het plein. Daar ziet ze nog net hoe twee auto's langzaam wegrijden.

'Shit.' Teleurgesteld staat ze naast haar fiets en kijkt hoe de rode achterlichten van de laatste auto om de hoek van de straat verdwijnen.

Alle moeite voor niets. Er zit niks anders op dan naar huis terug te gaan. In haar eentje op de fiets in het donker naar Brekkenveen rijden is geen optie. Er zou van alles kunnen gebeuren. Voor je het weet word je opgesloten en gedwongen in een atelier kleding te naaien voor de illegale markt.

Brecht is boos op zichzelf. Ze heeft alles verknald en nu is ze er vanavond niet bij. Ze stpat weer op haar fiets en rijdt langzaam weer terug naar huis.

Opeens merkt ze dat een auto achter haar gas mindert. Ze

kijkt even over haar schouder en wordt verblind door het felle licht van de koplampen. De auto haalt haar niet in, maar blijft zachtjes achter haar aan rijden.

Brecht wordt bang. Wat moet ze doen? Daarginds is een zijstraat. Zal ze daar inschieten?

De auto rijdt nu naast haar. Brecht doet alsof ze niets merkt.

'Hé, ken je ons niet meer?' roept een stem.

Verbaasd kijkt Brecht in het lachende gezicht van Jurre, die uit het achterste raampje van de auto hangt.

'Jullie zijn het!' lacht ze opgelucht. Haar ogen zoeken Miruna. Zit ze naast Jurre op de achterbank?

'Ga je mee schaatsen?' vraagt Jurre.

Brecht knikt. 'Ja, maar ik was te laat. Ik zag nog net hoe de auto's de hoek om reden.'

'Jurre zag jou!' brult Berber, die aan de andere kant zit. 'Van hem moesten we omdraaien.'

'Zet je fiets op het plein en stap vlug in!' roept Tom van Zwinderen.

'Is er nog plek?'

'In de achterbak!' grijnst Douwe.

'Wie is er zo attent om plaats te maken voor mij?' Brecht kijkt Douwe aan.

'Ik niet.'

Als Brecht iets voorover buigt, ziet ze Miruna tussen Berber en Jurre zitten.

Brecht voelt een steen in haar maag. Ze zitten wel erg dicht bij elkaar. Als zij er ook nog bij moet, zit Miruna bijna bij Jurre op schoot. Bagger!

Er zit niets anders op. Ze zet haar fiets weg en loopt weer terug naar de auto. Vlug zet ze haar tas in de achterbak. Berber opent haar deur, maar Brecht doet alsof ze niets ziet en stapt in aan de kant van Jurre.

'Ik zal mijn adem maar inhouden,' grapt Jurre. 'Ik word bijna plat gedrukt.'

'Ik heb je gewaarschuwd,' zegt Douwe tegen Jurre. 'Hier heb je ruimte. Jij mocht van mij voorin, maar je moest zo nodig naast Miruna zitten.'

Brecht verschiet van kleur.

Zie je wel!

Hoofdstuk 25

AFGESPROKEN

Stijf als een plank zit Brecht naast Jurre op de achterbank. Ze luistert naar de anderen en bemoeit zich niet met het gesprek. Berber wil weten hoe Miruna Engels heeft leren spreken, terwijl ze nooit Engelse les heeft gehad. 'Ik wil graag gaan studeren aan de universiteit,' antwoordt Miruna zacht. 'Maar dan moet ik naar de stad en dat kost veel geld. Er is bijna niemand in ons dorp die gestudeerd heeft. De meeste mensen zijn arm. We kunnen de noodzakelijke dingen kopen. Voedsel, brandstof en kleding. De mensen van het dorp helpen elkaar. Als één familie het wat minder goed heeft, dan helpt de rest van het dorp hen.' 'Er is een grote solidariteit,' mompelt Van Zwinderen. 'Dat begrip kennen veel Nederlanders niet meer.' 'Ik wil ook graag andere mensen ontmoeten,' gaat Miruna verder. 'Vorig jaar kwam er een echtpaar in ons dorp dat onderzoek deed naar de plantengroei. Ze waren beiden bioloog en woonden in een camper. Ik ging wel eens naar hen toe. Ze kwamen uit Engeland en bleven drie maanden in ons dorp. Ik heb gevraagd of ze mij Engels wilden leren. Daarom spreek ik het een beetje,' voegt ze er met een glimlach aan toe. 'Mijn Russisch is beter.' Brecht kijkt af en toe vluchtig opzij. Ze probeert een glimp van Miruna op te vangen. De mooie zwarte haren en haar bruine ogen met de lange wimpers geven haar een mysterieus uiterlijk. Ze is veel knapper dan ik, beseft Brecht.

Koperkleurige haar en grijsgroene ogen vallen in het niet naast de donkere Miruna. Logisch dat Jurre haar leuk en interessant vindt. Maar hij vergeet één ding: Miruna verlaat Nederland binnen een paar dagen en dan zal hij haar nooit meer zien.

In de ijshal is het drukker dan de vorige keer. Lela's vader en Tom van Zwinderen blijven wachten tot de kinderen uitgeschaatst zijn.

'Elke avond trainen hier verschillende clubs,' weet Douwe te melden. 'Dat hebben ze per regio verdeeld, zodat het niet te druk wordt.'

De IJsblinkers laten hun kaart afstempelen. Tom van Zwinderen betaalt het kaartje voor Miruna.

Druk pratend loopt de groep door de hal richting het ijs.

'Is er iets?' vraagt Van Zwinderen als hij het bedrukte gezicht van Miruna ziet.

'Ik vraag me af hoe het met Jennica is,' zegt ze. 'Ze voelde zich niet lekker en hoestte steeds.'

'Daarover hoef jij je geen zorgen te maken. Als het nodig gaan ze met haar naar de dokter.'

'Wanneer ga ik naar hen toe?'

Van Zwinderen buigt naar haar toe. 'Wil je dat graag?'

'Ach…' Ze haalt haar schouders op.

'Als je dat wilt, kan ik het voor je regelen. Ik wil je er vanavond wel heen brengen.'

'Dat hoeft niet. We zien elkaar binnenkort.'

'Misschien kunnen jullie al binnen een paar dagen terug naar Roemenië. Dat hangt van het onderzoek af.'

'Dit is ook leuk.' Ze maakt een gebaar om zich heen. 'Iedereen is zo aardig voor me.'

Als Brecht naast Jurre gaat zitten en haar schaatsen wil

aandoen, geeft Douwe haar voor de grap een duw.
'Deze plek is gereserveerd,' grijnst hij.
'Voor wie?'
'Wat dacht je?' fluistert hij samenzweerderig.
'Geen idee!' Brecht laat zich op de bank vallen.
'Doe niet zo flauw. Laat Miruna hier zitten.'
'Helaas, ik zit hier nu.'
'Merk je niets?'
'Wat zou ik moeten merken?'
'Jurre...' Douwe maakt een beweging met zijn hoofd richting Jurre. 'Hij is verliefd, maar weet dat zelf nog niet.'
'Op Miruna?' Brecht kijkt hem afkeurend aan. 'Je vergist je.'
'Let maar eens op.'
Brecht houdt wijselijk haar mond. Douwe bevestigt haar vermoeden. Als hij merkt dat Jurre dat Roemeense meisje speciale aandacht geeft, dan is dat ook zo.
Ze houdt het tweetal onopvallend in de gaten. Tot haar schrik ziet ze dat Jurre naar Miruna toe loopt en vraagt of ze hulp nodig heeft bij het aandoen van haar schaatsen.
Brechts mond zakt open. Dat kind is toch niet debiel?
Douwe geeft haar een por in de rug. 'Heb ik gelijk of niet?'
Brecht doet er alles aan om niets van haar gevoelens te laten merken. 'Je zou het haast denken,' antwoordt ze luchtig.
'Zullen we het testen?'
'Hoe?'
Brecht buigt voorover en trekt een knoop in haar veter, waardoor ze die niet verder kan aansnoeren. 'Jurre!' roept ze.
Jurre kijkt over zijn schouder. 'Riep je?'
'Ik heb een knoop in mijn veter,' roept ze. 'Ben jij handig?'
Jurre is in tweestrijd. Dan ziet hij dat Steven naar Brecht schaatst. 'Steven is handiger dan ik!'

'Kon je hem er zelf niet uitkrijgen?' vraagt Steven verbaasd. Hij zit op zijn hurken en haalt de knoop er binnen vijf seconden uit.

'Ik heb koude handen,' verklaart Brecht en kijkt verongelijkt naar Douwe. 'Test mislukt.'

'Niet helemaal,' fluistert Douwe. 'Hij twijfelde.'

'Dus?'

'Zijn voorkeur gaat uit naar Miruna.'

'Ai.' Met lede ogen kijkt Brecht toe hoe Jurre Miruna helpt met het dichtmaken van de geleende schaatsen. Brecht schaatst opzettelijk achter hem langs. 'Leren ze dat niet in Roemenië?'

Jurre kijkt verbaasd op.

'Grapje!' grijnst Brecht en schaatst naar de baan. Ze moet oppassen. Jurre vond haar opmerking niet leuk.

'Zullen we alvast een rondje schaatsen,' vraagt Douwe.

'Moeten we niet wachten op de anderen?'

'Als iedereen klaar is, zijn wij al weer terug.' Douwe zet af en sprint naar het midden van de baan.

Brecht kijkt achterom. Lela en Berber staan met Jurre en Miruna te praten. Ze probeert de aandacht van Lela te trekken, maar die merkt niets. Met een vervelend gevoel in haar buik schaatst ze Douwe achterna.

In de tweede bocht gaat Brecht met een klap onderuit en glijdt door tot de reclameborden. Een vrouw in de buitenbocht valt bijna over haar heen. Brecht is op haar rechterheup gevallen en dat doet pijn.

Douwe schaatst verder; hij heeft niet gezien dat Brecht is gevallen.

'Zo zie je maar weer: schaatsen leer je met vallen en opstaan!' lacht een man die haar voorbij schaatst.

Brecht perst haar lippen op elkaar en hijst zich op aan de rand.

'Je bent er met je hoofd niet bij!' zegt een stem.

Brecht kijkt verbaasd naar Tom van Zwinderen, die over de reclameborden hangt.

'Klopt.' Met tranen in haar ogen schaatst ze verder. Dit is niet leuk! Ze had beter thuis kunnen blijven. Hoe raakt ze die akelige gevoelens kwijt? Jurre is niet van haar! Hij is van zichzelf en moet zelf weten wat hij doet.

Zei hij maar iets aardigs tegen haar. Een paar woorden die haar het gevoel geven dat ze speciaal is voor hem.

Als ze weer bij de bank komt, is iedereen weg. Zoekend kijkt ze om zich heen en ontdekt hen op het middengedeelte, waar een groep kinderen op kunstschaatsen traint.

Ze steekt de baan over en neemt zich voor om niet meer op Jurre te letten.

Als ze ziet hoe Jurre vol bewondering kijkt naar de kunstjes die Miruna op het ijs laat zien, gaat ze naast hem staan. 'Wat is ze goed,' mompelt Brecht.

'Ze is geweldig!' antwoordt Jurre.

Brecht slikt.

Opeens kijkt Jurre haar aan. 'Maar wij blijven gewoon op hoge noren rijden, toch?'

'Afgesproken,' grinnikt ze.

Hoofdstuk 26

SERIEUS GESPREK

'Jij bent niet eerlijk.'

'Hoe weet jij dat nou?'

'Ik zie het aan je ogen.'

'Het is niet waar wat jij denkt.'

'Brecht, je bent verliefd en dat is geen schande. Verliefd zijn is niet erg. De wereld vergaat niet.'

'Dát weet ik. Toch moet het geheim blijven.'

'Waarom?'

'Omdat niemand het mag weten.'

'Hij ook niet?'

'Hij ook niet!'

'Wat heb je er dan aan?'

'Niets,' grinnikt Brecht. 'Het heeft als voordeel dat hij niet weet wat ik voel en ik nooit zal weten wat hij voelt.'

'Wil je niet weten of hij verliefd op je is?'

Brecht schudt nadrukkelijk haar hoofd voor de spiegel. Haar lange haren zwieren vertraagd in de beweging mee. 'Ik ben bang dat hij niet verliefd is op mij.'

'Aha! Bang dat jouw liefde niet beantwoord wordt. Bang om afgewezen worden,' antwoordt Brechts spiegelbeeld.

'Dat zal het zijn.'

'Hij is aardig.'

'Heel aardig!'

'Kansen moet je grijpen.'

'Is dat zo?'

Er wordt op de deur van de badkamer geklopt.

'Wie is daar?' roept Brecht geschrokken.

'Tegen wie praat je?' vraagt Froukje nieuwsgierig.

'De telefoon!' liegt Brecht.

'Telefoon?' giechelt Froukje. 'Dat is toevallig! Doe eens open. Ik heb iets voor je.'

Brecht opent de badkamerdeur.

'Kijk! Voor jou.' Gierend van het lachen duwt Froukje iets in haar hand. 'Dit is jouw telefoon. Die had je beneden op het aanrecht laten liggen.'

Met een schaapachtige blik staart Brecht naar de mobiele telefoon in haar handen.

'Je hebt medicijnen nodig,' hikt Froukje. 'Je praat tegen jezelf.'

'Doe jij dat nooit?'

Froukje schudt haar hoofd een paar keer heen en weer. 'Vertel eens, wie is er niet verliefd op jou?'

'Weet ik veel.' Brecht loopt terug naar de spiegel en schuift een knipje in haar haar.

'Arme jij! Het noodlot heeft toegeslagen: je bent verliefd!'

'Nee hoor!'

'Op Jurre?'

'Ik ben elf!'

'Leeftijd staat liefde niet in de weg,' roept Froukje vrolijk.

'Mag ik er langs?' Brecht loopt met grote passen naar haar kamer en slaat de deur met een klap dicht. 'Ik heb geen zin in gezeur!'

'Als je een keer serieus wilt praten, dan zeg je het maar.'

Brecht laat een schamper geluid horen. Praten? Ze trekt de deur weer open. 'Het is makkelijker om vrienden te zijn dan verliefd op elkaar te worden.'

'O, ja?' zegt Froukje lacherig. 'Verliefdheid overkomt je! Als het gebeurt, kun je het niet tegenhouden.'

'Wanneer je gewoon vrienden van elkaar bent, word je niet jaloers.'

Froukje leunt peinzend tegen de deurpost. 'Die vlieger gaat niet op. Vrienden worden ook jaloers op elkaar.'

'Oké, maar dat is minder erg dan wanneer het vriendje waar je verkering mee hebt met een ander afspreekt.'

'Dat is waar.'

'Iedereen is van zichzelf,' mompelt Brecht.

'Van je "lover" verwacht je dat hij niet met anderen afspreekt, maar al zijn vrije tijd aan jou besteedt. Ik zei het je toch…' Froukje legt haar hand op Brechts schouder. 'Het is geen rozengeur en maneschijn. Als je verkering hebt, krijg je problemen omdat je bang bent dat je hem weer kwijtraakt.'

'Daarom zal ik nooit laten merken dat ik verliefd ben.'

'Verliefdheid kun je niet verbergen.'

'Ik denk niet dat ik verliefd ben.'

Froukje schiet opnieuw in de lach. 'Ik kan er geen touw meer aan vastknopen.'

Brecht trekt de deur verder open. 'Kom binnen.'

Even later zitten ze in kleermakerszit en met een dik kussen in de rug op het bed van Brecht en delen met elkaar hun ervaringen met jongens.

'Is het moeilijk om, wanneer je bij hem in de buurt bent, je ogen van hem af te houden?' vraagt Froukje.

'Mm.'

'Mijn laatste vriendje hield ik constant in de gaten. Als hij dingen deed die niets met mij te maken hadden, kreeg ik last van mijn zenuwen en vond hem al snel een sukkel.'

'Daar kan ik me iets bij voorstellen,' zucht Brecht.

'Die angst om hem kwijt te raken is vaak groter dan de liefde.'

'Dat snap ik niet.'

'Wat betekent liefde als je iemand als bezit wilt hebben?'
'Niks.' Brecht trekt een grimas. 'Wat betekent jaloezie?'
'Dat je het niet kunt hebben dat hij met anderen omgaat.
Jaloezie slaat nergens op.'
'Zoals ik al zei: je kunt beter gewoon vrienden van elkaar
zijn. Dat is minder ingewikkeld.'
'Voor vriendschap bestaan er geen regels.'
Brecht denkt even na. 'Dat is eigenlijk het leuke van vriend-
schap; van een vriend kun je heel veel hebben. Maar dan
moeten het echte vrienden zijn.'
'Verliefd zijn heeft natuurlijk ook positieve kanten!' Froukje
staat op.
'Vertel!'
'Je voelt je ongelooflijk bijzonder wanneer iemand op
jou verliefd is. Dan heb je het gevoel dat je de hele wereld
aankunt. Dat je vleugels hebt… Daarna word je bang dat
je hem kwijtraakt… Iedereen die je tegenkomt is leuker en
aardiger dan jijzelf bent. Je begint enorm aan jezelf te twijfe-
len. Enzovoort, enzovoort.'
'We zouden alleen positieve dingen opnoemen.'
Froukje slaakt een vermoeide zucht. 'Ik ga huiswerk
maken.'
'Wat kan ik doen?'
'Niets. Ontdek zelf maar hoe het voelt en wat er gebeurt.'
'Dat vind ik eng.'
'Waar zou je bang voor moeten zijn? Je hebt niets te verlie-
zen.'
Brecht haalt haar schouders op.
'Is het Jurre?'
'Dat ga ik jou niet vertellen.'
Brechts telefoon gaat over.
'Jurre?'

Brecht glimlacht. 'Ja.'

'Wow. Dit is telepathie!'

'Hallo!' groet Brecht.

'Ik heb nieuws!' begint hij. 'Tom van Zwinderen heeft ons lid gemaakt van de schaatsclub van Brekkenveen. We mogen voortaan met de trainingen meedoen en we zijn ingeschreven voor de onderlinge wedstrijden van zaterdagochtend.'

'Oeps. Zaterdag… Dat is overmorgen al!'

'Morgenmiddag wil ik nog wel even naar het eiland voor een conditietraining. Heb je zin om mee te gaan?'

'Tuurlijk.' Brecht werpt een gelukzalige glimlach naar Froukje.

'Miruna gaat ook mee naar het eiland. Ze blijft tot en met het weekend in Nederland. Ik haal haar op met de fiets.'

Als het gezicht van Brecht verstrakt, rent Froukje grijnzend naar haar kamer en ontwijkt nog net het kussen dat naar haar hoofd geslingerd wordt.

Hoofdstuk 27

VET LIEF!

'Wat zit je haar leuk!' roept Fenna.

Brecht werpt een geërgerde blik naar haar moeder. 'Zo doe ik het wel eens vaker.'

'Het staat leuk.'

'Het is handiger met trainen.'

Froukje springt met twee treden tegelijk de trap af. Ze kijkt naar de twee vlechten van Brecht en knipoogt plagend. 'Schattig! Zo val je tenminste op!'

'Dat is niet de bedoeling,' liegt Brecht.

'Heb jij mijn mascara gebruikt?'

'Een klein beetje.'

'Volgende keer graag schriftelijk een verzoek indienen. Dat is wel zo netjes.'

Fenna gaat voor haar jongste dochter staan en kijkt afkeurend naar de mascara op haar wimpers. 'Ik dacht al dat ik iets zag... Make-up voor een training?'

'Waarom niet? Mijn wimpers zijn nu veel donkerder. Dat vind ik mooi.'

Fenna kijkt Brecht verbaasd aan. 'Je gaat trainen op een eiland.'

'Daarom mag ik er toch wel mooi uitzien?'

'Daar heb je geen make-up voor nodig. Er is geen mens die je daar ziet.'

'Mam, denk nou eens na!' zucht Froukje vermoeid. 'Er zitten jongens in de groep van de IJsblinkers.'

'Aha, dat verklaart alles. Kind, nu al op het liefdespad?'

'Nee, mams. Het is gewoon een experiment,' grijnst Brecht.

'Ik wilde weten of mascara bij mijn ogen past.'

'Je bent te jong voor make-up.'

Brecht heeft geen zin in een discussie met haar moeder, die make-up voor een elfjarige ongeschikt vindt. Volgens de afspraak zou iedereen om vier uur bij de steiger staan. 'Ik moet weg.'

Froukje loopt mee naar buiten. 'Slim,' knikt ze goedkeurend. 'Je gaat in de aanval.'

'Miruna heeft donkere ogen en pikzwarte wimpers.'

'Het staat je goed. Baat het niet, schaadt het niet. Hou je gedeisd,' waarschuwt Froukje.

'Doe ik.'

'Jongens hebben er de pest in wanneer meisjes jaloers zijn en roddelen. Maak geen problemen. Jongens weten niet hoe ze met meisjes om moeten gaan. Ze beschouwen ons als wezens van een andere planeet. Dat maakt hen onzeker. Als jongens ergens een hekel aan hebben dan is het aan bemoeizucht. Ze vinden het prettig om complimenten te krijgen. Al pompen ze een fietsband voor je op, prijs ze de hemel in! Dat vinden ze geweldig. Dat maakt indruk. Wanneer je kattig doet, houden ze je liever op afstand.'

Brecht moet lachen. 'Nooit geweten dat jij zoveel ervaring hebt.'

'Ik zou er een boek over kunnen schrijven,' schept Froukje op. 'En het zou nog een bestseller worden ook.'

'Ik ga.' Brecht gaat op haar fiets zitten.

'Nog één tip.'

Brecht draait haar ogen naar boven. 'Snel.'

'Ik weet dat het om Jurre gaat.' Froukje wacht twee tellen, maar krijgt geen bevestiging van Brecht. 'Uit de verhalen van de afgelopen dagen begrijp ik dat Jurre dat Roemeense meisje aardig vindt. Hij zal het niet leuk vinden wanneer jij

vervelende opmerkingen over Miruna maakt. Laat hem zien dat jij hem en haar bewondert.'
'Een beetje slijmen dus.'
'Een beetje? Heel erg! Maar één ding is zeker: het werkt!'
'Miruna is aardig,' geeft Brecht toe. 'Ze heeft een nare tijd achter de rug. Drie maanden lang heeft ze opgesloten gezeten. Ze zit niet achter Jurre aan, hoor. Het is eerder andersom.'
'Toch is ze jouw concurrent.'
'Nogal.'
Froukje grinnikt. 'Laat niks merken. Wees gewoon aardig.'
'Gewoon,' gromt Brecht.
'Zij kan het niet helpen dat Jurre haar leuk vindt. Als jij aardig doet en vooral geen nare opmerkingen maakt, zul je zien dat hij jou waardeert.'
'Ze is zestien,' mompelt Brecht. 'Te oud voor Jurre.'
'Leeftijd staat liefde nooit in de weg,' giechelt Froukje. 'Wees positief; denk anders, doe anders!'
Opeens denkt Brecht aan het beertje dat ze onder haar bed heeft geschopt. 'Hier...' Ze duwt haar fiets in Froukjes handen. 'Ik moet nog iets van boven halen.'

Twee minuten voor vier loopt Brecht buiten adem over de steiger naar de roeiboot. Jurre, Romke en Miruna zitten al op haar te wachten. 'Ben ik de laatste?' roept ze vrolijk.
'De anderen zijn al op het eiland,' vertelt Romke terwijl hij moeizaam bij de steiger weg roeit.
'Nog nieuws?' Brecht kijkt Jurre vragend aan.
'Het laatste nieuws weet je. We zijn officieel ingeschreven als leden van de Brekkenveense schaatsclub.'
'Ja, en dat zaterdagochtend de onderlinge wedstrijden worden gehouden, dat weet ik ook.' Brecht maakt een gebaar

naar Miruna. 'Zijn haar ouders al ingelicht?'
'In België zijn twee handlangers van Mayers gearresteerd. Miruna heeft vanochtend met haar ouders gesproken en uitgelegd wat er gebeurd is. Zij voelen zich schuldig omdat ze hun dochter aan een oplichter hebben toevertrouwd.'
Miruna merkt dat het gesprek over haar gaat en kijkt glimlachend naar Brecht.
'Your grandmother?' vraagt Brecht. 'How is she?'
Miruna steekt haar duim omhoog. 'Het gaat goed met haar. Over een paar dagen zal ik bij haar zijn.'
Brecht ritst haar tas open en haalt het knuffelbeertje tevoorschijn. 'Jouw geluksbeertje.'
'Mijn oma had gelijk,' fluistert Miruna en drukt het beertje tegen zich aan. 'Het heeft me geluk gebracht.'
'Misschien brengt het nog meer geluk!'
Miruna laat het beertje in haar zak glijden. Dan trekt ze de rits van haar jas tot haar kin toe dicht.
'Koud?' vraagt Jurre.
'Een beetje.'
Jurre pakt zijn schaatstrui uit de tas en geeft die aan haar. Ze maakt een afwerend gebaar.
'Niet nodig Op het eiland loop ik mij wel warm.'
Brecht staart boos naar de kringen in het water en klemt haar kaken op elkaar. Jurre heeft haar nog nooit een trui aangeboden! Ze probeert aan Froukjes positieve woorden te denken. Anders denken en anders doen!
Jurre stopt zijn trui terug in de tas.
'Wat ben jij aardig,' hoort Brecht zichzelf zeggen.
Jurre tilt zijn hoofd op en kijkt haar ietwat achterdochtig aan.
'Ik vind het bijzonder dat je zo zorgzaam voor anderen bent.'

'Zij heeft geen dikke trui.'

'Ik bedoel…' Brecht kucht even. 'Ik zie wel dat ze het koud heeft, maar het komt niet in me op om haar mijn schaatstrui te geven. Jij doet dat wel.'

'O.' Jurre wendt verlegen zijn gezicht af.

'Daar kan ik wat van leren,' zegt Romke met een grafstem. 'Mijn moeder noemt mij een onbeleefde hork.'

'Je bent vet lief,' benadrukt Brecht nog eens als de anderen het niet horen.

'Zo is het wel genoeg,' grijnst Jurre.

Als ze even later op het eiland zijn, komt Jurre opeens naast Brecht lopen.

'Meende je dat?'

Brecht kijkt hem fronsend aan. Waar heeft hij het over?

'Je zei heel aardige dingen over me toen we in de boot zaten.'

'Natuurlijk meende ik dat!' lacht ze.

'Ik heb erover nagedacht. Mijn ouders zijn erg met hun eigen dingen bezig en letten vaak niet op mensen uit hun omgeving. Zo wil ik niet zijn.'

Brecht lacht verlegen. 'Zo ben je dus ook niet.'

'Vet lief, zei je?'

'Ja,' mompelt Brecht en voelt dat ze bloost. 'Vet lief.'

'Dat heeft nog nooit iemand tegen me gezegd,' probeert Jurre luchtig.

'Doorlopen jullie!' schreeuwt Douwe. 'Morgen moet er een wedstrijd geschaatst worden.'

'Jij ook!' hijgt Jurre een paar minuten later als hij achter Brecht loopt.

'Wat?'

'Vet lief!'

Vanaf dat moment krijgt Brecht vleugels…

Hoofdstuk 28

DE IJSKUS

'Ik heb haar adres gevraagd,' vertelt Jurre plompverloren.
'Ga je haar schrijven?' Met moeite slaagt Brecht erin om haar verontwaardiging te onderdrukken.
'Dat is wel de bedoeling. We kunnen allebei een beetje schrijven in het Engels.'
'Leuk,' knikt Brecht afwezig.
'Ik hoop dat ze aan deze dagen samen met ons leuke herinneringen overhoudt. Ze vertrekt zondag met het vliegtuig. De andere meisjes ziet ze op Schiphol. Samen met een begeleider vliegen ze terug naar Roemenië. Het lijkt mij wel leuk om een klein afscheidsfeestje in ons clubhuis te organiseren.'
'Is dat niet hartstikke koud,' oppert Brecht.
'We verzinnen wel iets. Waarschijnlijk nodigt mevrouw Van Zwinderen ons wel uit.'
'Hoe laat vertrekken ze zondag?'
'Om vijf uur 's middags.'
Daarna is het een tijd stil op de achterbank.
Berber zit voorin naast haar moeder die hen naar Brekkenveen brengt. Plotseling draait Berber zich om.
'Eigenlijk zijn we krankjorum. We schaatsen pas sinds een paar weken, we gaan vast af als een gieter.'
'Dat valt vast wel mee,' zegt Berbers moeder.
'Mam, ik durf erom te wedden. Die andere kinderen zitten al jaren bij de schaatsclub. Ze trainen 's zomers om hun conditie op peil te houden en 's winters op het ijs. Ze kunnen snel schaatsen en hebben een goede conditie.'

'Wat geeft dat nou? Jullie zijn beginners. Iedereen moet een keer beginnen.'

'Ik twijfel steeds meer,' zucht Berber en laat zich wat onderuit zakken. 'Ik denk niet dat ik geschikt ben voor de schaatssport. Mijn slag is niet goed en ik ben vreselijk zenuwachtig voor de start.'

'Niet zeuren!' lacht haar moeder. 'Verstand op nul, en als je het startsein hoort sprint je keihard weg!'

'Zolang het leuk is gaan we gewoon door,' grinnikt Jurre.

'Dat is een goede instelling,' vindt Berbers moeder.

Ze wachten op de parkeerplaats tot de ander auto's er zijn.

'Komen jouw ouders nog?' vraagt Brecht.

Jurre trekt een grimas. 'Als ze op tijd terug zijn van hun besprekingen.'

'Zou leuk zijn.'

Jurre haalt zijn schouders op. 'Maakt mij niet uit.'

Brecht werpt hem een heimelijk blik toe. Het maakt hem wel wat uit, maar dat zegt hij niet. Zijn ouders hebben het vaak druk en vergeten daardoor om belangstelling voor Jurre te tonen.

Brecht krijgt opeens een duw van Berber tegen haar arm.

'Hoe gaat het met je?'

'Wat bedoel je?'

'Hoe het met je gaat! Je moet straks een wedstrijd schaatsen!'

'O, dat!' Brecht ritst haar jas een stukje open, zodat een deel van haar hals te zien is. 'Kijk, je kunt mijn hart zien bonken.'

'Wat doen we onszelf aan!' zucht Berber.

'Als we klaar zijn, voelen we ons goed,' lacht Brecht. 'Schaatsen geeft een kick.'

'Ik ben het langzaamst van iedereen.'

'Dan win je misschien de poedelprijs,' lacht Jurre.

Ze lopen met z'n allen naar de ingang, vergezeld door ouders, broers en zusjes.

De schaatsers hebben nog een halfuur om zich voor te bereiden. Ze doen een warming-up en schaatsen een paar rondjes. Ieder in zijn eigen tempo.

Ze worden regelmatig nieuwsgierig aangekeken. De leden van de schaatsclub van Brekkenveen hebben de kinderen uit Woudega nooit eerder gezien.

'Na vandaag zullen ze voor altijd weten wie wij zijn,' fluistert Douwe grimmig.

'In vorm?' vraagt Jurre als hij met opgeheven armen aan komt schaatsen.

'In topvorm! Er zit een vip op de tribune. Een very important person uit Roemenië.'

'Miruna!' Jurres ogen zoeken langs de tribune, net zo lang tot hij haar tussen Tom en Betty van Zwinderen ziet zitten. 'Ze is mooi.'

Jurre knikt. 'En aardig. Ik schaats nog een rondje.'

Vijf minuten later wordt iedereen verzocht de baan te verlaten. De wedstrijd gaat beginnen.

'Heb je Jurre gezien?' vraagt Douwe.

Brecht schudt haar hoofd. Haar ogen glijden langs de tribune. Er gaat een schok door haar heen als ze ziet dat Jurre een foto van Miruna maakt met zijn digitale camera. Bah! Alles draait nog steeds om Miruna. Ze wijst onverschillig naar de tribune. 'Daar staat hij,' mompelt ze ongeïnteresseerd.

Brecht probeert zichzelf op te peppen met Froukjes wijze woorden. Ze neemt zich voor om uit de buurt van Jurre te blijven. Er is misschien een manier om Jurres aandacht te trekken, maar dan zal ze hard moeten schaatsen.

Terwijl ze staan te wachten, praten Brecht, Berber en Lela

wat met leeftijdsgenoten uit Brekkenveen. Het zijn heel aardige meiden. Een van de meisjes vertelt waar de wedstrijdlijst hangt waarop ze kunnen zien wanneer en tegen wie ze moeten schaatsen. De jongste deelnemers starten eerst.

Langzaam maar zeker loopt de spanning op. Brecht krijgt steeds meer last van haar zenuwen. Dan is het eindelijk zo ver.

Brecht moet in haar serie als eerste starten. Haar benen voelen loodzwaar aan.

'Niet te hard schaatsen,' fluistert Jurre plotseling in haar oor.

Brecht kijkt verstoord om. 'Waar slaat dat nou op?'

'Ik heb een weddenschap met Miruna afgesloten. Als jij bij de eerste drie eindigt, moet ik een opdracht uitvoeren...'

'Een weddenschap,' schampert ze.

'Ik durf te wedden, omdat het jou nooit zal lukken bij de beste drie te eindigen.'

'Bereid je maar voor!' zegt Brecht stoer. 'Ik ben van plan om razendsnel te schaatsen.' Ze zwaait naar haar ouders die samen met Froukje op de tribune zitten en meldt zich dan bij de wedstrijdleiding.

De start gaat niet goed. Brecht verliest bijna een hele seconde. Maar ze knokt en haalt het andere meisje in. Uiteindelijk slaagt ze erin een voorsprong op te bouwen.

Brecht is verbaasd voer zichzelf; waar haalt ze die enorme kracht vandaan?

'Dit is een supertijd van een nieuw lid!' schalt het door de geluidsinstallatie. 'Bijna een nieuw record bij de meisjes onder twaalf!'

Helaas verbreekt ze het record niet. De laatste meters kan ze niet meer.

Miruna steekt haar duim op naar Jurre. Dat ze een onderonsje hebben, ontgaat Brecht niet.

Ze houdt hem op afstand en blijft in de buurt van Berber en Lela rondhangen.

De trainer van Brekkenveen komt naar Brecht toe en geeft haar complimenten. 'Ik ben blij met zo'n snelle schaatsster erbij. Wanneer je je techniek verbetert, kun je nog sneller,' lacht hij.

'Ik hoor eigenlijk bij de IJsblinkers,' vertelt ze.

De kinderen van de IJsblinkers doen het beter dan verwacht. Als de uitslag bekend wordt gemaakt, blijkt dat Douwe en Brecht allebei derde zijn geworden.

Jurre loopt naar Brecht. 'Gefeliciteerd met de derde prijs.'

'Ben je echt blij?' vraagt ze uitdagend.

'Ja.'

'Maar je hebt nu wel de weddenschap verloren.'

'Dat is niet zo heel erg.' Hij wendt zijn blik af.

'Wacht!' roept Miruna die op het ijs staat. Ze roept alle IJsblinkers bij elkaar.

Brecht begrijpt er niks van. Wat zijn ze van plan? Waarom staat Jurre zo zenuwachtig naast haar?

Miruna fluistert met de anderen. Ze lachen. Tom van Zwinderen krijgt een digitale camera in de handen gedrukt. Dan wordt er afgeteld.

'One! Two... Three!' brullen de IJsblinkers.

Jurre steekt zijn hand uit en feliciteert haar met de derde prijs en geeft haar volslagen onverwacht een kus die een eeuwigheid lijkt te duren. Iedereen joelt!

Brechts hart gaat als een razende tekeer. 'Mijn eerste ijskus,' fluistert ze beduusd.

Hoofdstuk 29

DAGBOEK

Lief dagboek.

Ik heb een paar weken niet meer geschreven. Er gebeurt zoveel, dat ik geen tijd heb om alles op te schrijven. Sinds een paar weken ben ik lid van schaatsclub De IJsblinkers. Dat is een leuke groep kinderen. Eerst leerde ik Jurre kennen. Dat ging heel toevallig. Tenminste als toeval bestaat. We kwamen op een eiland terecht in het Blinkermeer en ontdekten daar in een oude schuur een zwarte tas. Toen is het begonnen...

Jurre zit op een andere basisschool, net als Steven en Romke, die ook lid van de IJsblinkers zijn geworden. Lela, Berber en Douwe uit mijn klas horen er ook bij. In totaal zijn er dus zeven IJsblinkers.

Sinds donderdag zijn we ook lid van de echte schaatsclub uit Brekkenveen. Daar heeft Tom van Zwinderen voor gezorgd. Tom is de officiële eigenaar van de oude, zwarte tas.

Volgende week gaan we voor het eerst meetrainen. Lijkt me goed. We moeten nog veel leren.

Ik heb al met twee wedstrijden meegedaan. Met succes! (Maar ik heb niet tegen de snelsten geschaatst, hoor).

Ik kan nauwelijks geloven dat je zoveel kunt meemaken in zo'n korte tijd. Als ik binnenkort tijd – en zin – heb, zal ik beschrijven hoe we tussen de trainingen en schaatswedstrijden door een illegaal kleding-atelier hebben opgerold. Het was net een spannend verhaal uit een boek.

Jurre en ik zijn best veel bij elkaar. We klommen door het raam van de boerderij in Woudega. In dat huis verloor ik mijn telefoon, waardoor we

*in een wonderlijk avontuur verzeild raakten. En we leerden Miruna
kennen.*

*Nu wat anders: soms denk ik dat ik verliefd ben. Op Jurre. Meestal
denk ik dat het niet zo is. Het is ingewikkeld, omdat ik niet weet wat
Jurre voelt. Hij vindt Miruna aardig. Maar ze is zestien en gaat
terug naar Roemenië.*

*Straks gaan we met z'n allen naar Schiphol om haar en de drie
andere meisjes uit haar dorp weg te brengen. Eigenlijk vind ik het niet
erg dat ze weggaat. Ik ben stinkend jaloers op haar. Stiekem hoop ik
dat Jurre niet verliefd op haar is en dat ik nog een kans maak.*

*Zaterdag waren we op de ijsbaan in Brekkenveen. Ik won de derde
prijs. Jurre had met Miruna een weddenschap afgesloten. Jurre
verloor de weddenschap en moest mij een zoen geven. Wow! Die kreeg
ik! Een lange warme kus op mijn rechterwang. Soms leg ik mijn
hand op die plek, die ik sindsdien niet meer heb gewassen. Als je
zulke rare dingen doet, ben je dan verliefd? Hoe dan ook, ik heb mijn
eerste ijskus gekregen.*

Nu stop ik. Over een halfuur gaan we naar Schiphol.

Brecht

Hoofdstuk 30

PLANNEN!

Ze staan met z'n allen in de vertrekhal van Schiphol. Het is er ongelofelijk druk. Brecht vindt het geweldig. Hier lopen mensen uit alle delen van de wereld rond. Sommigen dragen bijzondere kleding, die bij het land van herkomst hoort.
'Ik kan hier wel uren zitten,' lacht Brecht.
'Ik niet! Ik wil geen minuut meer wachten,' zegt Miruna. 'Ik verlang naar mijn ouders, mijn broertjes, zusjes en mijn dorp.' Ze bedankt Brecht nogmaals voor het verliezen van haar telefoon. Tenslotte is dat haar redding geweest. 'Ze maakten ons bang, waardoor ontsnappen moeilijk was. Ik had steeds ruzie met Jennica, Bogna en Ruxana omdat ik plannen bedacht om te vluchten. Ze waren bang en vonden het onverstandig. Mijn vluchtactie zou hun leven in gevaar brengen. Het echtpaar Mayers zou wraak nemen. Dat laatste was een ding dat zeker was. Maar gelukkig is het anders gelopen. Ik ben heel blij dat ik jullie heb leren kennen,' voegt ze eraan toe. 'Willen jullie me af en toe een brief schrijven, zodat ik weet hoe het met de IJsblinkers gaat?'
'Doen we!' belooft Jurre.
'Die IJsblinkers hebben nog een heleboel plannen,' zegt Tom van Zwinderen en hij kijkt het kringetje rond. 'Toch?'
'Ja!' wordt er uitbundig geroepen.
'Het clubhuis moet opgeknapt worden!' roept Romke.
'Vanaf volgende week worden we door een echte trainer getraind,' vult Steven aan. 'Dan gaan we heel fanatiek aan de gang.'

'We willen kampioenen worden!' grijnst Douwe.

'Maar het moet vooral leuk en gezellig blijven,' vindt Berber.

De vier Roemeense meisjes en hun begeleider moeten over een paar minuten door de paspoortcontrole.

'Tijd om afscheid te nemen,' mompelt Miruna en loopt naar Brecht. 'Jullie zijn bijzondere vrienden.'

Brecht knikt en staart naar de vloer.

'Jurre is een beetje verlegen,' fluistert Miruna. 'Daarom wil ik je vertellen dat hij jou bijzonder vindt.'

Brecht tilt fronsend haar gezicht op. 'Mij? Ik dacht dat hij jou …' Ze maakt haar zin niet af.

Miruna lacht vrolijk. 'De manier waarop hij over jou praat, zegt genoeg.'

Brecht krijgt een kleur. Ze heeft de situatie dus volkomen verkeerd beoordeeld.

'Ik heb hem advies gegeven,' vertelt Miruna zachtjes. 'Ik ben ook verliefd, op een jongen uit mijn dorp. Ik durfde het niet te laten merken. Zelfs toen ik voor een lange tijd naar Nederland zou gaan, durfde ik het niet te zeggen. Nu heb ik spijt en vraag ik me af of hij een andere vriendin heeft.'

'Je weet dus hoe het voelt,' giechelt Brecht.

Miruna drukt een hand tegen haar maag en knipoogt.

'Die weddenschap…?'

'Die heb ik bedacht, om hem een handje te helpen,' knikt Miruna. 'Jij hebt de eerste ijskus van hem gekregen.'

Brecht wrijft met haar vingertoppen over haar wang. Ze lachen samenzweerderig naar elkaar.

'Tot ziens!' fluistert Miruna. 'En heel veel succes bij het schaatsen!'

IJsblinkers IJsvleugels

De twaalfjarige Jurre Duinkerken woont sinds kort in Friesland.
Samen met Brecht vindt hij op een eilandje in het Blinkermeer een oude tas. Wat zit er in die tas? De geheimzinnige inhoud verandert Jurres leven! Brecht en Jurre richten een schaatsclubje op.
De zeven leden van de club gaan trainen voor de schaatswedstrijden in de vernieuwde IJshal van Brekkenveen.

IJsblinkers Deel 1 • Leeftijd: 9+ • ISBN 978-90-454-1158-3